Literaturwissenschaft — Gesellschaftswissenschaft
Herausgeber: Theo Buck und Dietrich Steinbach

28

Johannes Werner

Gesellschaft in literarischer Form

H. L. Wagners ‚Kindermörderin‘
als Epochen- und Methodenparadigma

Ernst Klett Stuttgart

Literaturwissenschaft — Gesellschaftswissenschaft

Materialien und Untersuchungen zur Literatursoziologie
herausgegeben von Theo Buck und Dietrich Steinbach

CIP-Kurztitelaufnahme der Deutschen Bibliothek

Werner, Johannes
Gesellschaft in literarischer Form: H. L. Wagners
,Kindermörderin' als Epochen- und Methodenparadigma.
— 1. Aufl. — Stuttgart: Klett, 1977.
(Literaturwissenschaft, Gesellschaftswissenschaft; 28)
ISBN 3-12-394100-0

1. Auflage   1⁵ 4 3 2 1 | 1981 80 79 78 77

Die letzte Zahl bezeichnet das Jahr dieses Druckes.

Umschlag: H. Lämmle, Stuttgart
Druck: E. Heinz, Stuttgart

Meinem Vater
und dem Andenken
meiner Mutter

Inhaltsverzeichnis

1. Gegenstand

Werk und Wirkung. Das Werk in der Gesellschaft

> In das Verständnis des [...] Textes einzu-
> dringen, kann durch eine Betrachtung der Ur-
> sachen erleichtert werden, die seine bisherige
> Verborgenheit herbeigeführt haben.
>
> Walter Benjamin[1]

Heinrich Leopold Wagner zählt zu den Vergessenen der deutschen Literatur. In ihre Annalen sich einzuschreiben, hat er nicht vermocht und gleichwohl auf eine Weise versucht, die aufmerken läßt. Sein Werk umfaßt eine Anzahl von Gedichten auch scherzhaft-spöttischer Art, deren erste schon der Zensur zum Opfer fielen; eine Auswahl, genannt ‚Confiskable Erzählungen‘, frech und frivol und zugleich eine Verhöhnung eben der Zensur; die übermütige, schlagfertige, anspielungsreiche Literatursatire ‚Prometheus, Deukalion und seine Rezensenten‘, die, viel Aufsehen und Lob hervorrufend, den ‚Werther‘ gegen seine Feinde verteidigte (und allgemein, vielleicht zu Recht, dessen Autor untergeschoben wurde); dramatische Gelegenheitsarbeiten, Pro- und Epiloge im Auftrag der Seylerschen Theatergruppe; für diese Kompagnie zudem Übersetzungen englischer und französischer Stücke, darunter einen wirksamen, von Dalberg in Mannheim aufgeführten ‚Macbeth‘; achtzehn ‚Briefe die Seylerische Schauspielgesellschaft und ihre Vorstellungen zu Frankfurt am Mayn betreffend‘, eine kritische Durchsicht gängiger Bühnenliteratur; die Übertragung von Louis-Sébastien Merciers ‚Du théâtre ou nouvel essai sur l'art dramatique‘ (als ‚Neuer Versuch über die Schauspielkunst‘), eine revolutionäre Ästhetik im Gefolge Rousseaus und Diderots, aber diese übersteigend, womit das deutsche Drama des Sturm und Drang maßgeblich begründet und beeinflußt wurde; ein erfolgreiches Rührstück ‚Der wohltätige Unbekannte‘, zuerst deutsch, dann französisch abgefaßt; das bürgerliche Trauerspiel ‚Die Reue nach der That‘, in Wien wiederum von der Zensur verboten, welches ‚Die Kindermörderinn‘ in vielem vorbereitet; diese selbst — von ihr wird im folgenden zu handeln sein — samt einer Bearbeitung ‚Evchen Humbrecht oder Ihr Mütter merkts Euch!‘; das Romanfragment ‚Leben und Tod Sebastian Silligs‘, worin Laurence Sternes Vorbild ins Volkstümliche und Radikale transponiert ist; die Satire ‚Voltaire am Abend seiner Apotheose‘, eine witzige, grobe, boshafte Abrechnung mit dem Statthalter des ancien régime und Intimfeind der jungen Poeten; dazu weitere Rezensionen, Bearbeitungen, Übersetzungen, Fragmente, Briefe. Und dies alles neben der Tätigkeit als Hofmeister und Lehrer, Jurist und Advokat; dies alles auch in einem Leben, das knapp 32 Jahre währte.

---

(1) Benjamin: Einleitung zu Carl Gustav Jochmanns Rückschritten der Poesie, S. 352.

Zu Unrecht (quod demonstrandum est) wurde Wagner vergessen, während manch ein Geringerer überlebte. Doch wie jede Geschichte wird auch die der Literatur von den Siegern geschrieben: die Besiegten kommen darin schlecht weg oder gleich gar nicht vor. Das Einzige, was von diesem Autor in ihr bis heute sich hält (wenn auch nur in ihr und nicht im allgemeinen Bewußtsein), ist, wie gesagt, Gegenstand vorliegender Untersuchung: ‚Die Kindermörderinn. Ein Trauerspiel‘.

Nicht beschäftigt sie sich, um es gleich zu definieren, mit den verschiedenen Revisionen, die dieses Stück aus dem Jahre 1776 erfahren hat (wohl aber mit deren Verursachungen und Begründungen); also weder mit der von Gotthold Ephraims Bruder K. G. Lessing (1777), oder der erwähnten von Wagner selbst (1779), noch gar mit der von Peter Hacks (1963). Für die erste gilt ohnehin, das kann getrost behauptet werden, Wagners eigenes und hinreichend deutliches Verdikt aus den ‚Frankfurter Gelehrten Anzeigen‘, man habe „sein Werk schon bey seinen Lebzeiten in usum Delphini kastrirt"[2]; habe es, so noch deutlicher in einem Brief an Maler Müller, „verstümmelt, verhunzt, eignen Koth hineingeschissen"[3]. Auf die erste wie die zweite Bearbeitung aber trifft Klingers generelles Urteil zu:

„Ich weiß nicht, ob es nöthig und vortheilhaft ist, die so kühn-genialischen Produkte der Dichtkunst dem Publikum in einer vernünftigern, das heißt, kältern Gestalt noch einmal zu geben: der Dichter sieht wenigstens immer so dabei aus, als hätte er sich aus Gefälligkeit und Bescheidenheit nun selbst kastrirt. Doch, er ist ja Herr über seinen Leib; was soll man aber zu dem sagen, der die Werke anderer verbessert, der sich dem Publikum als Genieverschneider aufdringt, ohne dazu aufgefordert zu seyn?"[4]

Genau so wenig wird von Wagners übrigen Werken die Rede sein. Wäre auch zu wünschen, daß das hier gemeinte Drama in ihren Kontext eingezeichnet, daß es in ihm und aus ihm heraus zum Sprechen gebracht würde: ihre heutige, fast völlige Unzugänglichkeit, Unerreichbarkeit ließe eine Erfüllung des Wunsches kaum zu. Das Verschwinden der Werke aus der lebendigen Tradition indessen, an dem auch jenes Drama — es zwar noch am wenigsten — partizipiert, ist bereits ein (freilich negativer) Aspekt der nun zu bedenkenden Wirkung.

---

(2) Wagner/Fechner: Die Kindermörderin, S. 143. — Diese Anmerkung soll zugleich von den Anmerkungen handeln und dem ihnen hier zugrundeliegenden Prinzip: sie durchbricht es, um es zu erklären. Denn verzichtet wird hier auf die Möglichkeit, quasi unterm Strich vom Weg des darlegenden Textes abzuweichen; anstelle des Exkurses aber steht die oft extensive Literaturangabe mit nicht nur Beleg-, sondern auch Verweisfunktion. Sie verweist auf das Substrat, welches eben der Text voraussetzt, worauf er gleich der Spitze des Eisbergs sich erhebt, und worin seine Lektüre fortzusetzen wäre; die, möglichst vollständige, thematische Aufbereitung und Aufschlüsselung der Sekundärliteratur wäre somit ein erwünschter Nebeneffekt dieser Arbeit. „Der Anmerkungsapparat ist der Keller unter dem Gebäude: im Spinnwinkel stecken ein paar gute Flaschen für Kenner. [...] Vieles wirkt nur leicht, wenn der Autor es sich schwer gemacht hat." (Minder: Dichter in der Gesellschaft, S. 6.)
(3) Zit. nach Schmidt: Heinrich Leopold Wagner, S. 153.
(4) Klinger: Betrachtungen und Gedanken ..., S. 254 (Bd. 11).

Unter einem Unstern stand das Werk, und besonders das hier gemeinte Drama, von Anfang an. Die ersten Gründe dafür (daß es nämlich keine gewichtige Wirkung zeitigte) sind sicher in ihm selbst zu suchen: in seiner Inkommensurabilität, seiner Nichtübereinstimmung mit der sittlich wie poetisch, damit letztlich gesellschaftlich gültigen Norm. Was Wagner zeigte, und wie er es zeigte, wurde bereits von den Zeitgenossen als unzulässig, weil anstößig, gebrandmarkt, sofern ihnen die Zensur nicht gleich den Stein des Anstoßes aus dem Weg räumte. Bei der Betrachtung des Werks wird dann dingfest zu machen sein, worauf jene Kritik im einzelnen fußt; vorerst aber soll sie selber sprechen. Am lautesten hat in ihr K. G. Lessing sich hervorgetan, der ja, als erster Bearbeiter des Dramas, dieses dadurch „vor ehrlichen Leuten vorstellbar zu machen"[5] suchte; schien es ihm doch unmöglich, seinen „Ton", „die völlig gemeine Straßburger Welt beyzubehalten", welchen Einwand er gleichwohl verband mit einer überraschenden Spitze gegen den „oft nur zu delikat gewordenen Zuschauer, der eben keine Ursache hat, darauf stolz zu seyn"[6]. Dem in seiner Empfindlichkeit so sorgsam beachteten, vielleicht aber auch nur vorgeschobenen Zuschauer galt, nach Lessings Zeugnis, das Stück „für unanständig und unmoralisch"[7], und im ,Reichspostreuter' rief einer gar nach der Obrigkeit. Ihn verletzte, nach seinen Worten, das Naturalistische, Kriminelle, Barbarische, und plagte die Besorgnis, der vorgeführte Kindsmord könne Nachahmer finden; „und uns wundert, dass die Polizey die Aufführung dieses Stückes erlaubt hat"[8]. Womit er jedoch, die niemals stattgehabte Vorstellung betreffend, einem Irrtum aufgesessen war, wie die angerufene Behörde auch gleich deutlich machte: davon könne bei diesem „in aller Absicht verwerflichen" Stück nicht die Rede sein, „und, so wie es bekannt geworden, daß der Director des Theaters, Herr Döbbelin, damit umgehe es vorstellen zu lassen, ist ihm von hoher Obrigkeit bey einer nahmhaften Strafe dessen Aufführung untersagt worden, denn nach seinem Privilegio darf er ohne dies bei Verlust desselben keine Stücke aufführen, als solche, die der Sittlichkeit und dem guten Geschmacke unanstössig sind"[9]. Das einen Kriminalfall aufgreifende Drama wurde selber zu einem solchen, und den Vorsitz führte dabei der Sittenrichter statt des Kunstrichters (desgleichen Johann Joachim Eschenburg, 1780: in seiner ursprünglichen Form sei „dieß Schauspiel freylich keiner Vorstellung auf einer gesitteten Bühne fähig"[10]).

Der Ausnahmen, wovon noch zu handeln, waren wenige, und auch Schiller zählte nicht zu ihnen; auch sein Urteil, nunmehr rein ästhetisch argumentierend, fiel negativ aus (aber es darf vermutet werden, daß bei ihm wie bei K. G. Lessing der Zwang zur Selbstbehauptung gegenüber dem Vorbild eine nicht unerhebliche Rolle spielte). „Wagners Kindsmörderin hat rührende Si-

(5) Wagner/Fechner: Die Kindermörderin, S. 95.
(6) Wagner/Fechner: Die Kindermörderin, S. 94.
(7) Wagner/Fechner: Die Kindermörderin, S. 89.
(8) Zit. nach Schmidt: Heinrich Leopold Wagner, S. 137 (Anm. 68).
(9) Schmidt: Heinrich Leopold Wagner, S. 137 (Anm. 68).
(10) Wagner/Fechner: Die Kindermörderin, S. 148.

tuationen und interessante Züge. Doch erhebt sie sich über den Grad der Mittelmäßigkeit nicht. Sie würkt nicht sehr auf meine Empfindung und hat zu viel Wasser."[11]

Hier sei ein vorläufiger Schlußstrich gezogen. Das Wort hatten, in Auswahl, die Zeitgenossen; der Chor der Nachbeter wird auch noch zu Gehör kommen, wenn erst von der neuen Instanz die Rede war, auf die seine Kritik unkritisch sich beruft. Die alte Instanz schied ja dahin: das zeittypische, gesellschaftlich vermittelte Normengefüge, demgegenüber ein Werk sich zunächst als inkommensurabel erweist; und jetzt, nach ihrem zumindest partiellen Untergang, hätte dessen Rezeption unverstellt der Weg sich öffnen können — wäre mittlerweile nicht der Schatten Goethes darauf gefallen, der es bis auf den heutigen Tag verdunkelt. ,Dichtung und Wahrheit', 14. Buch:

„Vorübergehend will ich nur, der Folge wegen, noch eines guten Gesellen gedenken, der, obgleich von keinen außerordentlichen Gaben, doch auch mitzählte. Er hieß Wagner, erst ein Glied der Straßburger, dann der Frankfurter Gesellschaft; nicht ohne Geist, Talent und Unterricht. Er zeigte sich als ein Strebender, und so war er willkommen. Auch hielt er treulich an mir, und weil ich aus allem, was ich vorhatte, kein Geheimnis machte, so erzählte ich ihm wie andern meine Absicht mit ,Faust', besonders die Katastrophe von Gretchen. Er faßte das Sujet auf, und benutzte es für ein Trauerspiel, ,Die Kindesmörderin'. Es war das erstemal, daß mir jemand etwas von meinen Vorsätzen wegschnappte; es verdroß mich, ohne daß ich's ihm nachgetragen hätte. Ich habe dergleichen Gedankenraub und Vorwegnahmen nachher noch oft genug erlebt, und hatte mich, bei meinem Zaudern und Beschwätzen so manches Vorgesetzten und Eingebildeten, nicht mit Recht zu beschweren."[12]

Durch diese Brille hat man Wagner und sein Drama ausschließlich gesehen, nicht bedenkend, wie sehr sie getrübt war. Denn hier sprach Goethe nach dem peinlichen Skandal um die ,Prometheus'-Farce, den er Wagner zur Last legte (vielleicht auch nur, um sich mittels Sündenbock vom begründeten Verdacht der Urheberschaft zu reinigen)[13]; Goethe, der sich inzwischen von der Radikalität und Bürgerlichkeit seiner Anfänge (was schließlich dasselbe war) distanziert hatte; der auch in hohem Maße dazu neigte, sogar mit seinen engsten Freunden sich zu überwerfen, zumal wenn sie ihm auf seinem Wege hinderlich schienen. Was allein in Weimar geschah, veranlaßte Arno Schmidt zu der bitteren Bemerkung, „daß alle Dichter im bürgerlichen Sinne zur Freundschaft unfähige, dazu launenhafte, im Umgang unzuverlässige und affenhaft-bösartige Subjekte sind"[14]. Doch schon Schubart rügte: „Keine Gelehrte sind zu Ungezogenheiten, Zänkereien und wechselseitigen Beschimpfungen geneigter als die Deutschen"[15] — und zwar genau anläßlich Goethes und seiner Spottschrift ,Götter,

---

(11) Schiller: Briefe 1, S. 64.
(12) Goethe: Aus meinem Leben, S. 11 (Bd. 10).
(13) Froitzheim: Goethe und Heinrich Leopold Wagner; dazu Goethe: Aus meinem Leben, S. 61 (Bd. 10).
(14) Schmidt: Herder, oder Vom Primzahlmenschen, S. 188.
(15) Schubart: Werke, S. 34.

Helden und Wieland' vom Jahre 1774. Vielleicht vermag dies vorerst zur Rehabilitation Wagners beizutragen; oder mehr noch die Aussage Knebels (brieflich an Bertuch) ebenfalls über Goethe und ebenfalls von 1774: „Es ist ein Bedürfnis seines Geistes, sich Feinde zu machen, mit denen er streiten kann; und dazu wird er nun freylich die schlechtesten nicht aussuchen."[16]

Ohnehin ist Goethes eigentlicher Vorwurf, der des Plagiats, durchaus gegenstandslos, wo doch, wie man sehen wird, der dramatische Rohstoff förmlich auf der Straße lag (und träfe auch nicht den qualitativen Kern des Stücks). Dies mußte selbst ein so feuriger Goetheaner wie Erich Schmidt anerkennen[17], wenn auch seine — dennoch verdienstvolle — Monographie über Wagner sonst ganz im Banne des sogenannten Dichterfürsten steht. Da sie die erste und immer noch maßgebliche Abhandlung über den Verfasser der ‚Kindermörderin' darstellt, und da ihre Fakten wie zugleich ihre Urteile die gesamte Literaturgeschichtsschreibung bestimmt haben, ist einmal (wiederum zu seiner, Wagners, Rehabilitation) zu zeigen, wie sehr sie ihn dem Kultus Goethes opfert, nur damit dessen Flamme heller brenne. Das beginnt mit dem Titel, der dem Dramatiker nur eine sekundäre, abgeleitete Bedeutung als „Goethes Jugendgenosse" zugesteht und so die Grundtonart dieser ganzen Monographie anstimmt.

„Einen Theil der Aufmerksamkeit, die ihm gegönnt wird, verdankt er seiner Stellung zu Goethe, den er eine Zeit lang als Trabant umkreiste, den andern darf er seiner eigenen Thätigkeit zu Gute rechnen. Wir stehen bei diesen Betrachtungen nicht auf der Höhe, wo das Auge frei und weit ausblickt und frische Bergluft uns umweht, sondern auf einem mässigen Hügel, dürfen aber dann und wann zu den grossen Gipfeln emporblicken. Dass die Menge der Wanderer lieber stracks auf diese selbst lossteuert, wird ihr niemand verdenken."[18] „Allmählich selbst zu grösseren dichterischen Versuchen schreitend, durfte er in dem Frankfurter genialen Kreise als ein dienendes Glied aus und eingehen, zuhören, wenn Goethe neue Fragmente seines dämonischen Schaffens freundschaftlich zum besten gab, seinen eigenen spöttischen Witz spielen lassen und an dem grossen Lichte, das einen herrlichen Mittag verkündend glanzvoll aufgieng, sein bescheidenes Stümpfchen anzünden."[19]

Noch bei Gelegenheit einer mutmaßlichen Begegnung Wagners und Klopstocks in Goethes Stube heißt es: „Es ist ein Reiz und Trost bei unserer Betrachtung, dass sie uns manchmal einen flüchtigen Blick in diese Stube gestattet, wenn auch ihr Hauptanlass nicht in der persönlichen Berührung mit Goethe liegt."[20] Im dauernden Vergleich mit Goethe muß Wagner freilich den Kürzeren ziehen; da jener durchweg nur gut ist, kann dieser, wo er anders ist, nur schlechter sein. („Offenbar fehlte ihm die freudige Unterordnung unter die hinreissende Führerschaft Goethes."[21])

---

(16) Zit. nach Froitzheim: Goethe und Heinrich Leopold Wagner, S. 30.
(17) Schmidt: Heinrich Leopold Wagner, S. 70 f., 77, 80.
(18) Schmidt: Heinrich Leopold Wagner, S. 4.
(19) Schmidt: Heinrich Leopold Wagner, S. 17
(20) Schmidt: Heinrich Leopold Wagner, S. 23.
(21) Schmidt: Heinrich Leopold Wagner, S. 17.

„Auf die geschickte Mache hat sich Wagner, ein flinker Schriftsteller, ein Kenner der lebendigen Bühne, ein Freund der Schauspieler, früh verstanden."[22] „Seine Begabung weist auf das Kernige, Realistische, wie sich auch sein Stil im derben, etwas verbissenen volksthümlichen Humor am freiesten bewegt."[23] „Wagner war eines von den forcierten Talenten, kräftig beanlagt und im Derben, Volksmässigen oft überraschend tüchtig, aber ungeschlacht, roh, geschmacklos und sich selbst durch gezwungenes Geniethum wie durch Zersplitterung feind, mehr höhnisch, als witzig, doch unläugbar zur Satire und zum bürgerlichen Drama berufen"[24]; war, immer noch nach Schmidt, ein „minder origineller Kopf"[25], und zwar ein gröberer[26].

Es ist deutlich, daß vieles von diesem Tadel heute eher wie Lob klingt; am deutlichsten (um die Nachschreiber Schmidts hier zu übergehen, als welche in puncto Wagner fast alle Literarhistoriker erscheinen[27]) im Urteil Gundolfs:

„Heinrich Leopold Wagner war ein gewandter Plebejer und ein übler Litterat, er sah als Plebejer vor allem das 'Natürliche' und verstand darunter das Gemeine. Seine ‚Kindsmörderin', ein Werk dem man zu viel Ehre antut, wenn man es ein Plagiat am Urfaust nennt, hat von Goethe und Shakespeare nichts geholt als die Erlaubnis sich nicht zu genieren, die unteren und mittleren Stände ihre Sprache reden zu lassen, Derbheiten, Gemeinheiten, Zoten, Flüche anzubringen, gleichviel wo sie hingehören und wo nicht. Er gibt lockere Szenen, unverfälschte Bilder der gemeinen Wirklichkeit — Wirklichkeit gefasst als Zustand, nicht als Kraft. Das Problem ist — und darin ist Wagner der typische Litterat — ein zeitgenössisch aktuelles. Was in Goethes Drama Symbol ist, das benutzt Wagner als Rohstoff. Künstlerische und dichterische Qualitäten gehen dem Werk völlig ab. Von Shakespeare als Tragiker hat Wagner gar keinen Begriff. Nur die dunkle Vorstellung der Natürlichkeit um jeden Preis, die er sich von Shakespeare im allgemeinen machte, hat an seiner Arbeit mitgewirkt. Eine gewisse sinnliche Lebhaftigkeit des Aufnehmens von Einzelzügen ist die einzige Qualität die man seinen Machwerken zusprechen kann. Seine Macbeth-bearbeitung ist eine Übertragung des grossen Mythus in die plebejische Diktion eines sinnlich aufmerksamen, aber grundgemeinen Litteraten. Es ist eine Privatarbeit und gehört nicht unter die geistesgeschichtlichen Dokumente."[28]

Dieselben Schlüsselbegriffe, nun aber mit positivem statt negativem Akzent, tauchen dann bei Peter Hacks auf, anläßlich seiner Neubearbeitung des hier in Rede stehenden Stücks:

„Wagners Kindermörderin ist eins der sehr machtvollen deutschen Dramen. Ein Stück von aufrichtigem sozialem Empfinden, großer plebejischer Gewalt der Sprache und einem in seiner Unbefangenheit einzigartigen Sinn für Widersprüche. Seine geringe Verbreitung kennzeichnet jenen Haufen reaktionärer Vorurteile, den wir als unsere literarische Bildung zu bezeichnen pflegen. Vielleicht war es mir möglich, da, bei der Gutmachung, zu helfen."[29]

(22) Schmidt: Heinrich Leopold Wagner, S. 98.
(23) Schmidt: Heinrich Leopold Wagner, S. 98.
(24) Schmidt: Heinrich Leopold Wagner, S. 116.
(25) Schmidt: Heinrich Leopold Wagner, S. 1.
(26) Schmidt: Heinrich Leopold Wagner, S. 80, 82.
(27) Bruford: Theatre, Drama and Audience in Goethe's Germany, S. 192, 218. — Korff: Geist der Goethezeit, S. 245. — Pascal: Der Sturm und Drang, S. 81 f.
(28) Gundolf: Shakespeare und der deutsche Geist, S. 227.
(29) Hacks: Brief an einen Dramaturgen, S. 147.

Das zuletzt zitierte Zeugnis steht in der Wirkungsgeschichte des Wagnerschen Werks nahezu einzig da; insgesamt aber ist sie die eines Autors, der es (wie alle zugleich realistischen und revolutionären, von denen Benjamin hier spricht) „nie zu mehr als einem schemenhaften Dasein in der Vorhölle allgemeiner Bildung gebracht"[30] hat. Es scheint, als habe Wagner dieses sein Schicksal — das eines Neuerers, als den die folgende Interpretation ihn erweisen möchte — prophetisch vorausgeahnt, und nicht zufällig in seiner Besprechung von Klingers ‚Sturm und Drang‘, dem Drama also, das der Epoche den Namen gab und ihr Wesen auf einen Nenner brachte: „Wer gesehen und bewundert werden will, muß hübsch auf ebnem gebahntem Wege gehen, wo ihm recht viele Leute begegnen, verläßt er ihn — eine sich ihm auf der Seite darstellende Felsenhöhe zu erklettern — so wird er diesen ein Sonderling, jenen ein Waghals, allen aber (wenn er dem Gipfel sich nähert) ein Zwerg scheinen."[31] (Gerechter als die Literarhistoriker sind die Literaten mit ihm verfahren: vor Peter Hacks hatten schon, wie noch zu zeigen, die Repräsentanten von Naturalismus und Expressionismus Wagner als einen ihrer Wegbereiter anerkannt.)

Derart erhellt nicht bloß aus dem heutigen Verschollensein des Werks sein nahezu gänzlicher Mangel an Wirkung; daß sie schon damals, und wie bald, endete, bevor sie recht begann, ließ sich aufweisen. Demgemäß könnte vermutet werden, daß das Werk eben einfach ein schlechtes sei (das Urteil in dieser Sache darf ja rechtens erst am Ende der Untersuchung stehen), und daß es fernere Aufmerksamkeit daher weder verdiene noch verlohne. Doch ungeachtet der richtigen oder falschen Vermutung wäre solche Konsequenz aus ihr ein Trugschluß: denn die mindere Qualität eines Werks, welches etwa dem Erwartungshorizont des Publikums völlig sich anbequemte (so Hans Robert Jauß' Definition von Unkunst[32]), erübrigt nicht seine philologische Analyse, sondern wird geradewegs zu deren Organon. Genau das meint Jean Paul in einer erstaunlichen Notiz, noch lange vor jeder wissenschaftlichen Apologie des Trivialen als Forschungsgegenstand (deren Stelle dieses antizipierende Zitat hier vertreten soll):

„Alle öffentlichen Bibliotheken bewahrten bisher nur gute Werke der Nachwelt auf. Es fragt sich aber, wenn die Nachwelt den Geist der vorigen Zeit aus dem Innersten kennen lernen will, ob sie diese Kenntnis richtiger aus genialen Werken, welche jedesmal über den Geist ihrer Zeit herausspringen, zu schöpfen vermöge, oder vielmehr aus ganz elenden, welche als Nachdruck und Brut ihrer Zeit und durch ihre Menge am stärksten deren Bild, besonders die Schattenseite abzeichnen."[33]

Also wäre das Werk auch von geringer Güte (und hier gilt es ja noch, den Gegenstand der Untersuchung zu rechtfertigen, ohne schon ihr Ergebnis vorwegzunehmen) — selbst in diesem Fall, der ja auch die Existenz kanonischer Wertmaßstäbe implizierte, hätte es jedem größeren voraus, daß in ihm seine

---

(30) Benjamin: Deutsche Menschen, S. 33.
(31) Zit. nach Klinger: Sturm und Drang, S. 79.
(32) Jauß: Literaturgeschichte als Provokation ..., S. 177—183.
(33) Paul: Mein Aufenthalt in der Nepomuks-Kirche ..., S. 237.

historische Situation klarer zur Sprache kommt; oder daß in ihm, als einem gescheiterten, außer den nicht unwichtigen Gründen des Scheiterns selbst, die Teile des intendierten Ganzen deutlicher in Erscheinung treten, da unversöhnt und unverbunden. „Weil aus den Trümmern großer Bauten die Idee von ihrem Bauplan eindrucksvoller spricht als aus geringen noch so wohl erhaltenen, hat das deutsche Trauerspiel des Barock den Anspruch auf Deutung."[34] Und dieser Anspruch gebührt ebenso seinem Nachfahren und Erben, dem Trauerspiel des Sturm und Drang, hier exemplifiziert in dem vorläufig zweifelhaften des Heinrich Leopold Wagner.

So würde denn, unter dem Aspekt philologischer als historischer Erkenntnis, der Begriff des literarisch Wichtigen auf komplizierte Weise eher zu seinem Gegenteil; ergiebiger schiene das Brüchige als das Heile, das Fragwürdige als das Fraglose.

„Es zeichnet gerade das historisch bedeutende Werk aus, daß es den Widerstand gegen seine eigene Lösung zur Erscheinung bringt. Jene Einheit und Harmonie, welche die meisten Interpretationen als oberste ästhetische Qualität voraussetzen und deshalb zum Beweisziel ihrer Anstrengung nehmen, ist eher Indiz des Konventionellen und Trivialen, von Kunstwerken also, die ihren Vorbildern nur die Lösung, nicht die Leistung abgemerkt haben. Diese Leistung aber enthält beides: die Aufgabe, die vorlag, und die Lösung, die versucht wurde. Doch die grundsätzliche Differenz, in der das Kunstwerk zur Realität steht, schließt aus, daß die Lösung — weil sie, um zu überzeugen, letztlich die Lösung realer Widersprüche bedeuten müßte — je gelingen kann. Im Mißlingen, im halben Gelingen bringt sich die Macht der realen Verhältnisse zur Geltung — genau an dem Punkt, an dem das Kunstwerk diese Macht zu mildern, in Form zu verwandeln trachtet."[35] „Es ist der aus der geschichtlichen Distanz erwachsene Vorteil des Literaturhistorikers, daß er an den vergangenen Sprachzeugnissen nicht allein ihren Ausdruck zu dechiffrieren vermag, sondern ebenso: was nicht in ihnen zum Ausdruck kommt und dennoch als Verzerrung des Ausdrucks in ihnen präsent ist."[36]

Zu problematisieren war der Begriff des Werts, ausgehend von dem der Wirkung als seines vermeintlichen Zeichens: wie wenn das Wirkungslose deswegen auch schon das Wertlose sei. „Nach den Würkungen [...], welche ein Buch hervorbringt, kann man wohl den Grad seines Werths bestimmen"[37] — dieser Satz Knigges geht nur dann nicht fehl, wenn die Wirkungslosigkeit nicht dem Werk selber zugeschrieben wird, sondern den äußeren Verhinderungen, die es ja auch bewirkte. Und wenn auch jene Wertfrage nunmehr unter anderen, gegensätzlichen Aspekten erscheint, soll sie nach wie vor zwar relativiert, doch unbeantwortet bleiben; soll statt dessen noch einmal an eben der Wirkung, hier dem Scheitern, angeknüpft und, Bisheriges auf ein neues Ziel hin zusammenfassend, nach deren letztlich sozialen Bedingungen gefragt werden. Vermöchte doch das Schicksal des Wagnerschen Dramas als Illustration zu dienen für Levin L. Schückings „Grundgedanken, daß die Übereinstimmung des Gefallens an

---

(34) Benjamin: Ursprung des deutschen Trauerspiels, S. 268.
(35) Schlaffer: Der Bürger als Held, S. 148.
(36) Schlaffer: Der Bürger als Held, S. 149.
(37) Zit. nach Scherpe: Werther und Wertherwirkung, S. 14.

künstlerischen Werken [...] nicht einfach aus der inneren Sieghaftigkeit von deren Qualität hervorgeht, sondern meist das Ergebnis eines verwickelten Prozesses ist, in dem sehr verschiedenartige, teils ideologische, teils auch höchst materielle Kräfte miteinander ringen, um ein nicht immer vor Zufallseinwirkungen geschütztes Ergebnis herbeizuführen"[38]. Zumindest wird eine Neuinterpretation des Stücks nicht von seiner negativen Rezeptionsgeschichte, als einer Hypothek, sich belasten lassen; denn wenn Schückings These gilt, derzufolge nicht das Gute sich notwendig durchsetzt, sondern das, was sich durchsetzt, hernach für das Gute gehalten wird[39] — dann gilt auch deren Umkehrung: nicht das Schlechte setzt sich notwendig nicht durch, sondern das, was sich nicht durchsetzt, wird hernach für das Schlechte gehalten. Dem, nämlich der eventuellen Differenz zwischen Wert und Wertung, entspricht gleichfalls Adornos These: „Es gibt Kunstwerke höchster Dignität, die zumindest nach den Kriterien ihrer quantitativen Wirkung sozial keine erhebliche Rolle spielen [...]. Wenn sie, trotz ihrer Qualität, nicht zu erheblicher sozialer Wirkung gelangen, ist das ebenso ein fait social wie das Gegenteil."[40] Und gerade dann ist die Frage zu stellen, warum solche Wirkung ausblieb — ans Werk wie an seinen (literarischen und gesellschaftlichen) Kontext, oder eigentlich die Frage nach dem Verhältnis beider zueinander.

Doch nicht allein darf das Interesse auf die Wirkung des Werks gerichtet bleiben; zumindest gleich und gleich notwendig, weil damit verschränkt, zählt auch der diesem selbst „immanente soziale Gehalt [...]. Dieser soziale Gehalt ist, ob auch unbewußt, ein Ferment der Wirkung. Desinteressiert Kunstsoziologie sich daran, so verfehlt sie die tiefsten Beziehungen zwischen der Kunst und der Gesellschaft: die, welche in den Kunstwerken selbst sich kristallisieren."[41] Derart wäre, zugleich mit dem Gegenstand und aus seiner Eigenart heraus, der doppelte Aspekt bestimmt, unter dem er hier erst eigentlich als Gegenstand dieser Untersuchung erscheint: die Frage führt vom Werk in der Gesellschaft zur Gesellschaft im Werk.

---

(38) Schücking: Soziologie der literarischen Geschmacksbildung, S. 5.
(39) Schücking: Soziologie der literarischen Geschmacksbildung, S. 63.
(40) Adorno: Thesen zur Kunstsoziologie, S. 97.
(41) Adorno: Thesen zur Kunstsoziologie, S. 98 f.

2. Methode

Literatursoziologie und Werkmonographie. Die Gesellschaft im Werk

> So wie in der Naturgeschichte die Eigenart
> der Fauna und Flora nur im Zusammenhang
> mit den Besonderheiten des Standortes er-
> kannt werden kann, erklärt sich in der Lite-
> raturgeschichte Dasein, Färbung und Eigen-
> heit zu erheblichem Teil aus dem soziologi-
> schen Nährboden, dem die literarische
> Schöpfung entwächst.
>
> Levin L. Schücking[1]

Aus solcher Bestimmung des Gegenstands ergibt sich zwanglos die der ihm ad-
äquaten Methode: es ist, wie im bisherigen Verlauf immer unverhüllter zutage
trat, eine literatursoziologische.[2] Zunächst aber ist, noch nahe jenem Gegenstand, von der Form zu handeln, in der sie als Methode an ihm sich verwirklicht, und nicht schon von ihr selber: weil sie auch an ihm erst sich wird entwickeln müssen. Denn in vorliegender Untersuchung, das sei als ihre zentrale
Absicht jetzt hervorgehoben, gelten das gegenständliche Interesse (an Wagners
Drama) und das methodische (an der Literatursoziologie) gleich viel; miteinander verbunden und vermittelt, soll der Gegenstand durch die Methode, aber
auch die Methode durch den Gegenstand erkannt und entfaltet werden — freilich ohne daß eines zum bloßen Hilfsmittel des andern degradiert würde. Vielleicht jedoch, daß ein neuer Begriff von beidem dabei entstünde.

Dies indessen läßt sich schon vorweg zur Methode sagen: nicht als eine unter
vielen wird sie, die literatursoziologische, hier verstanden; solchen Pluralismus
wird sie im folgenden — am praktischen Beispiel — ebenso zu widerlegen haben wie den alten Vorwurf der Uneigentlichkeit, wonach sie das Wesen der
dichterischen Sache durchaus verfehle. Demgegenüber begreift sie sich hier em-
phatisch als synthetisches, integratives, damit den anderen übergeordnetes Verfahren, insofern dieses, was jene ins Zentrum stellten (etwa Vita und Psyche
der Dichters oder, ganz besonders, die Form des Gedichteten), zu Resultaten
letztlich gesellschaftlicher Vermittlungsprozesse erklärt und hinter allem scheinbar Unvermittelten, Unabhängigen eben das Gesellschaftliche aufsucht. Eine
derart definierte Literatursoziologie verwirklicht sich also darin, „daß sie sich
aller von der Literaturwissenschaft entwickelten Methoden und der Ergebnisse
aller historischen Disziplinen bedient, soweit sie dies vermag. Sie nimmt ihr
Gut, wo sie es findet, um es einem eigenen methodischen Prinzip unterzuordnen,

---

(1) Schücking: Soziologie der literarischen Geschmacksbildung, S. 15 f.
(2) Löwenthal: Das Bild des Menschen in der Literatur, S. 11—23; Löwenthal: Literatur und Gesellschaft, S. 11—20, 244—274.

14

das essentiell historisch und dialektisch ist."[3] „Sie verzichtet also nicht auf irgendeine der traditionellen Analysiermethoden — sei sie inner- oder außerästhetisch —, die sich durch empirische Ergebnisse als bedingt fruchtbar erwiesen hat, sondern sie sucht alle Methoden gesellschaftswissenschaftlich zu verändern."[4] Sie gibt also nichts preis, aber allem einen neuen Platz, indem sie alles nach ihrem Prinzip, auf ihr Zentrum hin organisiert. „Es ist die Aufgabe des Literatursoziologen, die Erfahrungen der von dem Künstler geschaffenen Charaktere und Situationen mit der historischen Umwelt, der sie entstammen, in Beziehung zu bringen. Er muß die privaten Gleichungen von Themen und stilistischen Mitteln in gesellschaftliche Gleichungen übersetzen"[5]; muß untersuchen, „wie weit die intimsten Sphären persönlichen Lebens von den gesellschaftlichen Kräften durchdrungen sind"[6] Die Person des Autors als Ursprung seines Werks war allzu oft der Punkt, an dem eine traditionelle Literaturwissenschaft glaubte einhalten zu dürfen; dagegen gilt es, noch über die Person hinweg zu rekurrieren auf das, woraus sie selber abgeleitet ist wie das Werk dann aus ihr. Sie, und damit noch ihr scheinbar privatestes Produkt, muß sich ihrerseits noch auf ihr Gesellschaftliches hin hinterfragen lassen. „Wer Individualität und Kollektivität zu Gegensätzen macht, bloß um den Rechtsanspruch des schöpferischen Individuums und das Mysterium des Einzelwerks wahren zu können, begibt sich der Möglichkeit, im Zentrum des Individuellen selber Kollektives zu entdecken."[7]

Die Form, in der die Methode am Gegenstand sich verwirklicht, ist die der Monographie[8]; diese ließe sich freilich, scheinbar genauso paradox, mit dem Namen nicht nur einer Werk-, sondern auch einer Gesellschaftsmonographie belegen wie Siegfried Kracauers Offenbach-Biographie mit dem einer Gesellschaftsbiographie: „in dem Sinne, daß es mit der Figur Offenbachs die der Gesellschaft erstehen läßt, die er bewegte und von der er bewegt wurde, und dabei einen besonderen Nachdruck auf die Beziehungen zwischen der Gesellschaft und Offenbach legt"[9]. Dementsprechend geht es hier um Wagners Drama als gesellschaftlich bewirktes und bewirkendes — als letzteres zwar mit der genugsam bekannten Einschränkung; aber es wirkt ja ein Werk schon dadurch, daß es Widerstände provoziert, an denen es dann scheitert.

Jedoch intendiert das so verstandene Vorgehen mehr als bloß die Einordnung des Werks in seine Zeit; denn zuerst die „Prinzipien der Epoche, in der ein Autor gelebt hat, systematisch darzustellen, und dann das dichterische Werk säuberlich in das Netz dieser theoretischen Koordinaten einzuordnen, das ist

---

(3) Köhler: Über die Möglichkeiten . . ., S. 229.
(4) Gansberg: Zu einigen populären Vorurteilen . . ., S. 25.
(5) Löwenthal: Das Bild des Menschen in der Literatur, S. 15 f.; ebenso Löwenthal: Literatur und Gesellschaft, S. 248 f.
(6) Löwenthal: Das Bild des Menschen in der Literatur, S. 15; ebenso Löwenthal: Literatur und Gesellschaft, S. 248.
(7) Bourdieu: Zur Soziologie der symbolischen Formen, S. 132.
(8) Benjamin: Literaturgeschichte und Literaturwissenschaft, S. 456.
(9) Kracauer: Jacques Offenbach und das Paris seiner Zeit, S. 7.

ein ebenso gängiges wie fragwürdiges Verfahren"[10]. Es wäre tautologisch, insofern es nichts außer dem Nachweis erbrächte, daß Wagner rechtmäßig als ein Dramatiker des Sturm und Drang zu betrachten sei. Beabsichtigt ist statt dessen ein Doppeltes: der Epochenbegriff soll am Drama, und nicht nur dieses an jenem, gemessen werden. Denn wie man das Drama niemals nach den Kategorien seiner Zeit analysierte, hat man umgekehrt diese selten aus ihm abgeleitet und gewonnen. Hier dagegen soll beides sich gegenseitig kommentieren und interpretieren. Die so gemeinte Deutung

„darf danach nicht unvermittelt auf den sogenannten gesellschaftlichen Standort oder die gesellschaftliche Interessenlage der Werke oder gar ihrer Autoren zielen. Vielmehr hat sie auszumachen, wie das Ganze einer Gesellschaft, als einer in sich widerspruchsvollen Einheit, im Kunstwerk erscheint; worin das Kunstwerk ihr zu Willen bleibt, worin es über sie hinausgeht. Das Verfahren muß, nach der Sprache der Philosophie, immanent sein. Gesellschaftliche Begriffe sollen nicht von außen an die Gebilde herangetragen, sondern geschöpft werden aus der genauen Anschauung von diesen selbst."[11] „Die Immanenz der Gesellschaft im Werk ist das wesentliche gesellschaftliche Verhältnis der Kunst, nicht die Immanenz von Kunst in der Gesellschaft."[12]

So lautet der auch diese Untersuchung fundierende ästhetische Obersatz.

Es ist ein Satz aus der Ästhetik Adornos, die seit ihren frühen Äußerungen um den von ihm bezeichneten Sachverhalt kreist; wovon hier, um ihm das nötige Gewicht zu verschaffen, das Wesentliche zitiert werde. (Beiläufig wären hier auch, stellvertretend fürs Ganze, die Einwände zu erwidern, die sich gegen das allgemein praktizierte Verfahren richten dürften, die Zusammenstellung von Zitaten: schon dadurch, daß diese, einfach nebeneinandergesetzt, sich gegenseitig erhellen und beleuchten, beipflichten oder widersprechen, damit eine vom Kommentar nur noch zu unterbietende Erkenntnis in Gang setzen könnten, löste es seinen Anspruch auf Wissenschaftlichkeit als auch Produktivität ein.) Es geht also um die „Frage, in welcher Weise gesellschaftliche Strukturmomente, Positionen, Ideologien und was immer in den Kunstwerken selbst sich durchsetzen"[13]; um eine Soziologie, „die nicht mit äußerlichen Zuordnungen sich begnügt; nicht damit, zu fragen, wie die Kunst in der Gesellschaft steht, wie sie in ihr wirkt, sondern die erkennen will, wie Gesellschaft in den Kunstwerken sich objektiviert"[14]. Zu zerstreuen ist daher vorab das — gegenüber einem Großteil der soziologischen Literatur zwar wohl angebrachte — Mißtrauen, „daß die Erörterung der Bedingungen, unter denen Gebilde entstanden, und die ihrer Wirkung, sich vorwitzig an die Stelle der Erfahrung von den Gebilden wie sie sind setzen will; daß Zuordnungen und Relationen die Einsicht in Wahrheit oder Unwahrheit des Gegenstandes verdrängen"[15]. Und

(10) Enzensberger: Brentanos Poetik, S. 12.
(11) Adorno: Rede über Lyrik und Gesellschaft, S. 76.
(12) Adorno: Ästhetische Theorie, S. 345.
(13) Adorno: Thesen zur Kunstsoziologie, S. 102.
(14) Adorno: Thesen zur Kunstsoziologie, S. 102; ebenso S. 94 und: Löwenthal: Erzählkunst und Gesellschaft, S. 30 f.
(15) Adorno: Rede über Lyrik und Gesellschaft, S. 73.

nur dann kann es als zerstreut gelten, wenn die „Gebilde nicht als Demonstrationsobjekte soziologischer Thesen mißbraucht werden, sondern wenn ihre Beziehung auf Gesellschaftliches an ihnen selber etwas Wesentliches, etwas vom Grund ihrer Qualität aufdeckt. Sie soll nicht wegführen vom Kunstwerk, sondern tiefer in es hinein."[16] Genauer als mit Adornos Worten ließe das Programm der Untersuchung sich nicht bezeichnen.

Das so verstandene Verfahren intendiert, über die doppelseitige Vermittlung von Werk und Gesellschaft (jenes in dieser zu erkennen, mehr aber diese in jenem) hinaus, auch die mit dem Standort seiner gegenwärtigen Deutung; wie Literatursoziologie überhaupt deren Vorläufigkeit und Relativität bewußt macht.[17] Es ist zugleich ein Bewußtsein von der Fremdheit des Werks statt vorgeblicher Einfühlung, von einer erst fruchtbaren Distanz.

„Damit gestaltet sich das Werk im Inneren zu einem Mikrokosmos oder viel mehr: zu einem Mikroaeon. Denn es handelt sich ja nicht darum, die Werke des Schrifttums im Zusammenhang ihrer Zeit darzustellen, sondern in der Zeit, da sie entstanden, die Zeit, die sie erkennt — das ist die unsere — zur Darstellung zu bringen. Damit wird die Literatur ein Organon der Geschichte und sie dazu — nicht das Schrifttum zum Stoffgebiet der Historie — zu machen ist die Aufgabe der Literaturgeschichte."[18]

So handelt es sich hier um Studien zum Drama in dem Sinne, daß sie gegenwärtig interessierende Aspekte beleuchten und andere im Dunkel lassen; die Rezeptionsgeschichte lehrt ja nichts anderes als die Kombination und Alternation von jeweils partieller Blindheit und Hellsicht. Aber ein Werk, das in einer seiner Interpretationen ohne Rest aufginge, wäre sowieso keines. Vielmehr würde diese zu seiner Aufhebung und seinem Ersatz, gleichsam zum Grab seines sezierten Leichnams, der selbst nicht länger interessierte. „Kein Kommentar, keine stilkritische Untersuchung eines Gedichts darf sich das Ziel setzen, eine Beschreibung des Gedichts herzustellen, die für sich aufzufassen wäre."[19] Sonst müßte das Werk sich den Vorwurf gefallen lassen, daß es verschleiere statt enthülle, daß es ein unnötiger Umweg sei zu einer Erkenntnis, die auch einfacher, eindeutiger hätte formuliert werden können.

Freilich ist es das Problem des so verstandenen monographischen und überhaupt des interpretatorischen Verfahrens, daß es (ein destruktives mit einem konstruktiven Prinzip verbindend), um Beziehungen herzustellen, andere zerstören muß. Der Kontext des Werks wird — im doppelten Wortsinn: wie ein Stoff, oder ein Rätsel — aufgelöst in den seiner Deutung; die Elemente seiner Gestalt werden quasi mosaikartig umgruppiert, auch ergänzt zu der seines Gehalts, doch, wie gesagt, ohne daß diese dann an die Stelle jener treten und sie ersetzen wollte. Denn die neue Einheit ist mit dem Verlust der alten erkauft; beispielsweise wendet sich die folgende Interpretation nacheinander Handlung, Zeit, Ort, Personen und Sprache des Dramas zu, statt den Personen

(16) Adorno: Rede über Lyrik und Gesellschaft, S. 74.
(17) Krauss: Über die Konstellation der deutschen Aufklärung, S. 399.
(18) Benjamin: Literaturgeschichte und Literaturwissenschaft, S. 456.
(19) Szondi: Über philologische Erkenntnis, S. 12.

als Handelnden und Sprechenden in ihrer Zeit und an ihrem Ort gerecht zu werden; weshalb sich die Form der Darstellung, mit den unumgänglichen Brüchen, Querverweisen und Wiederholungen, gegenüber der des Dargestellten im Nachteil befindet. Immerhin: jene beiden Prinzipien vereinend, verfährt der Interpret gemäß seiner Bestimmung, wie sie Kracauer an Simmel gewann;

„löst er den ineinanderverhäkelten Zusammenhang des Werks völlig auf und konstruiert ihn dann wieder neu, indem er lauter Strukturlinien von dem ideellen Zentrum aus zu der sichtbaren Oberfläche zieht."[20] „Von der Oberfläche der Dinge dringt er allenthalben mit Hilfe eines Netzes von Beziehungen der Analogie und der Wesenszusammengehörigkeit zu ihren geistigen Untergründen vor und zeigt, daß jene Oberfläche Symbolcharakter besitzt, daß sie die Sichtbarwerdung und Auswirkung dieser geistigen Kräfte und Wesenheiten ist."[21]

Nachdem die Interpretation ihre Beschäftigung mit ihrem Gegenstand gerechtfertigt hat, möchte sie auch ihm selber solche Rechtfertigung angedeihen lassen; möchte, wie Benjamin nach Kracauers Worten, die „Tat der Rettung vollbringen. Stets ist es seine besondere Angelegenheit, nachzuweisen, daß das Große klein, das Kleine groß ist. Die Wünschelrute seiner Intuition schlägt im Bereich des Unscheinbaren, des allgemein Entwerteten, des von der Geschichte Übergangenen an und entdeckt gerade hier die höchsten Bedeutungen."[22] Wagners Drama, klein in der Literaturgeschichte, träte dann am Ende als größeres aus ihr hervor — somit komplementär zu dem ihm so nah verwandten, von ihm abhängigen, zu Schillers ‚Kabale und Liebe', dessen Größe Erich Auerbach verkleinerte: „Es ist ein stürmisches, hinreißendes, genialisches, überaus wirksames, aber doch, bei etwas genauerem Hinsehen, ein recht schlechtes Stück; es ist ein von einem genialen Menschen geschriebener melodramatischer Reißer."[23] Rettung, Rehabilitation und Wiedergutmachung bedienen sich demgemäß (denn hier ist ja von Methodischem zu reden) der Zeitgenossen Wagners, um ihm, durch Aufweis von Verwandtschaft und Verbundenheit, zu seinem Platz in ihrem Kreise zu verhelfen. Gemeint ist besonders der Straßburger Kreis, darin aber speziell Jakob Michael Reinhold Lenz, der mit Heinrich Leopold Wagner vielfach übereinstimmte. Wie dieser hat jener, was programmatisch zu verstehen ist, den Shakespeare übersetzt (‚Love's Labour's Lost' als ‚Amor vincit omnia')[24] und den ‚Werther' verteidigt (‚Briefe über die Moralität der Leiden des jungen Werthers')[25]; Lenz hat Wagner eine ‚Theorie der Dramata'[26] gewidmet, Wagner hat Lenz zitiert und als seinen Freund bezeichnet.[27] Als beide in der Literaturgeschichte noch gleich wenig galten, wurde ihnen gleichermaßen

(20) Kracauer: Georg Simmel, S. 245.
(21) Kracauer: Georg Simmel, S. 242.
(22) Kracauer: Zu den Schriften Walter Benjamins, S. 252.
(23) Auerbach: Mimesis, S. 409.
(24) Schmidt: Lenz und Klinger, S. 25.
(25) Lenz: Werke und Schriften 1, S. 383—402.
(26) Lenz: Werke und Schriften 1, S. 466.
(27) Neuer Versuch über die Schauspielkunst, S. 292 (Fußn.).

vorgeworfen, sie hätten „das Roheste, Schmutzigste und Gewagteste"[28] nicht gescheut; nachdem Lenz nun in ihr zu größerer Geltung aufgestiegen ist, vermöchte auch Wagner — der, wie zu zeigen, es ihm nicht nur gleichtat, sondern in manchem auch über ihn hinausgelangte — von solchem Aufstieg wohl zu profitieren.

Die bisher explizierten Prämissen der Untersuchung — Relativität ihres Standorts, deren Reflexe im Werk selber, dessen Rettung — laufen hinaus auf das Eingeständnis ihrer Parteilichkeit. Im Gegensatz zu jenem Ideal- und Trugbild von wissenschaftlicher als (scheinbar) objektiver Haltung bedenkt sie den Zusammenhang von Erkenntnis und Interesse, ergreift sie Partei für ihren Gegenstand und das, was in ihm zum Ausdruck kommt: eine Position in einem Kampf, dem noch unabgeschlossenen des sich emanzipierenden Menschen. Eine Wissenschaft, die dagegen gleichgültig bliebe, verlöre Existenzrecht und Legitimität; gerade von diesem selber so parteilichen Werk unterschlüge sie das Wesentliche, bezöge sie nicht Stellung in dem mit ihm zu eröffnenden Dialog. „Emanzipative Parteilichkeit und wissenschaftliche Wahrheit schließen sich nicht aus. Vielmehr ist ein praktisch-kritisches Erkenntnis-Interesse die einzige Chance, die ästhetische Vernunft der Texte zum Reden zu bringen."[29] Gefordert wird „die parteiliche Stellungnahme des Interpreten und dies nicht als persönliches Urteil außerhalb der durch die Sachbezogenheit der Arbeitsmethode abgesteckten Grenzen, sondern als wissenschaftliches Verständnis der Komplexität jedes literarischen Gegenstandes"[30]. Mit solchem Verweis auf die Exponenten einer ausgebreiteten wissenschaftstheoretischen Diskussion ist deren Konvergenzpunkt, unausweichliche Parteilichkeit statt vorgeblicher Objektivität, bezeichnet, ohne daß sie selber damit abgegolten wäre. Sie zu referieren oder zu rekapitulieren kann hier jedoch nicht beabsichtigt sein, dafür aber, die hier vertretene These am Werk zu überprüfen und zu bewähren. Und sei es auch nur in ihrer bei Goethe noch unentfalteten Form, wie sie dieser Untersuchung, die nunmehr ihrem Gegenstand näher tritt, durchaus als Leitspruch dienen könnte: „mir kommt aber immer vor, wenn man von Schriften, wie von Handlungen, nicht mit einer liebevollen Teilnahme, nicht mit einem gewissen parteiischen Enthusiasmus spricht, so bleibt so wenig daran daß es der Rede gar nicht wert ist. Lust, Freude, Teilnahme an den Dingen ist das einzige Reelle, und was wieder Realität hervorbringt, alles andere ist eitel und vereitelt nur."[31] Oder, nochmals Goethe: „Aufrichtig zu sein, kann ich versprechen, unparteiisch zu sein, aber nicht."[32]

---

(28) Schmidt: Lenz und Klinger, S. 33.
(29) Gansberg: Zu einigen populären Vorurteilen . . ., S. 39.
(30) Völker: Die inhumane Praxis einer bürgerlichen Wissenschaft, S. 41.
(31) Goethe: Briefe 2, S. 224 f. (an Schiller, 14. 6. 1796)
(32) Goethe: Maximen und Reflexionen, S. 545.

3. Vorverständigung über den Sturm und Drang

> Deutschland schlief, und je tiefer die Schichten
> seiner Bewohner, um so tiefer ihr Schlaf.
>
> Walter Benjamin[1]

Zuvor gilt es, mit grob skizzierenden Strichen den literatur- und sozialgeschichtlichen Kontext dieses Werks anzudeuten. Es wird, wie allbekannt, dem Sturm und Drang zugerechnet — und hat somit teil am Mißverständnis, dem er häufig genug zum Opfer fiel. Denn dieser Begriff benennt im bürgerlichen Sinne eine Phase sowohl der Literatur als auch des Lebens: die vom Bürger nicht ohne Wehmut erinnerte Zeit, „da es wie Most in ihm gährte und schäumte."[2] So ist auch die Dichtung des Sturm und Drang für einen rauschhaften, unreifen und pubertären Leichtsinn gehalten worden[3] (woran freilich dann etwas Wahres bleibt, wenn Pubertät als Befreiung von überlebter Autorität verstanden wird); demgemäß für einen bloßen Übergang ins reife Erwachsenenalter der deutschen Literatur. „Es treibt und gährt in den jungen Geistern, wie wenn junger Wein die Reifen zu sprengen droht; die klassischen Tage Goethes und Schillers brachten dann den hellen, duftenden Labetrank."[4] Das biographische Verfahren, mit seiner Sinngebung vom Ende her in sich schon fragwürdig, läßt sich jedoch nicht aufs historiographische übertragen[5]; einer Epoche (und eben auch der hier gemeinten) wird nicht gerecht, wer sie lediglich als Durchgangs- und Vorbereitungsphase der nächsten identifiziert[6], sie damit einem „totschlägerischen Nacheinander"[7] unterwirft. Sturm und Drang ist mehr als Jugend und mehr als die Jugend der Klassiker.

Daß er dennoch wie ein unbesonnener Streich quasi unters Jugendrecht gestellt wurde, offenbart einen Verdrängungsmechanismus, mit dessen Hilfe die Späteren sich ihrer peinlichen Vorgeschichte zu entledigen suchten. Noch ihnen gelten Wagners eigene Worte:

„Wer fühlt oder auch nur ahndet, was Sturm und Drang seyn mag, für den ist er geschrieben; wessen Nerven aber zu abgespannt, zu erschlafft sind, vielleicht von je her keinen rechten Ton gehabt haben; wer die drey Worte anstaunt, als wären sie chinesisch oder malabarisch, der hat hier nichts zu erwarten, mag immerhin ein alltägliches Gericht sich auftischen lassen."[8]

---

(1) Benjamin: Was die Deutschen lasen . . ., S. 31.
(2) Froitzheim: Lenz, Goethe und Cleophe Fibich von Strassburg, S. 5.
(3) Kästner: Wahn und Wirklichkeit . . ., S. 17; Gundolf: Shakespeare und der deutsche Geist, S. 226; Balet/Gerhard: Die Verbürgerlichung der deutschen Kunst . . ., S. 221 f.
(4) Schmidt: Lenz und Klinger, S. 1.
(5) Mattenklott: Melancholie . . ., S. 88.
(6) Pascal: Der Sturm und Drang, S. XI, 1; Hermand (Hrsg.): Von deutscher Republik, S. 10f. (Bd. 1).
(7) Bloch: Geist der Utopie, S. 63.

Dies anläßlich einer Rezension von Klingers Drama, das der Zeit den Namen gab, zugleich ihr Programm genau bezeichnete. Als Metapher für Natur, für starke Bewegung des Äußeren und Inneren, bezeugt Sturm und Drang schon im Einstand eine Opposition gegenüber der Gesellschaft, die das Unnatürliche, auch Unbewegliche war; Natur und Gesellschaft sind die Dissonanzen, Natürlichkeit und Naturalismus die Leitmotive der Epoche wie des Wagnerschen Werks und dieser seiner Interpretation. Oppositionell aber, revolutionär gar wollte später niemand mehr gewesen sein.

Eine weitere Variante nachträglicher Denunziation, ähnlich der posthumen Distanzierung von den sogenannten Jugendsünden, ist der Versuch, Sturm und Drang zur ihm vorausgegangenen Aufklärung in Widerspruch zu setzen: wo er sie doch fortführte und vollendete, wenn auch auf etwas andere Weise.[9] Rationalität wurde nicht durch Irrationalität ersetzt, sondern durch Emotionalität ergänzt; das didaktische Motiv, welches die ältere Richtung schon im Namen kundtat, lag der neueren mit gleicher, nämlich emanzipatorischer Absicht zugrunde. Wagner selbst hat sich als einen Menschen charakterisiert, „der jedes Schritts, der zur Aufklärung seiner Mitbürger, zur Verbannung verjährter Vorurteile, zum Lob seines Zeitalters bey den Benachbarten und bey den Enkeln geschieht, im Innersten der Seele sich freut"[10]; und damit hat er seiner Generation, den in den siebziger Jahren des 18. Jahrhunderts schreibenden Herder, Merck, Lenz, Klinger, Müller, Leisewitz, Goethe und noch dem Spätling Schiller[11] aus der Seele gesprochen.

Was also der Sturm und Drang von der Aufklärung als ungeschmälertes Erbe übernahm, war deren kritisches Potential. Nur, daß diese Kritik nun weniger den unvollkommenen Menschen meinte, sondern vielmehr die unvollkommenen Zustände, die seiner Vervollkommnung im Wege standen.[12] Hinzu-

(8) Zit. nach Klinger: Sturm und Drang, S. 78.
(9) Hettner; Das moderne Drama, S. 203; Weißenfels: Goethe im Sturm und Drang, S. 12 f., 16, 412—414; Zorn: Die Motive der Sturm- und Drang-Dramatiker, S. 5; Rameckers: Der Kindesmord ..., S. 122; Korff: Geist der Goethezeit, S. 196, 198, 237, 265; Pascal: Der Sturm und Drang, S. 361; Krauss: Über die Konstellation der deutschen Aufklärung, S. 382, 383, 384, 387 f.; Mayer: Lenz oder die Alternative, S. 803—805; Kollektiv für Literaturgeschichte: Erläuterungen zur deutschen Literatur, S. 17, 18.
(10) Zit. nach Wolf: Heinrich Leopold Wagners Verteidigung ..., S. 285.
(11) Pascal: Der Sturm und Drang, S. 7.
(12) Hegel: Ästhetik, S. 194; Froitzheim: Lenz und Goethe, S. 45; Froitzheim: Lenz, Goethe und Cleophe Fibich, S. 81; Froitzheim: Goethe und Heinrich Leopold Wagner, S. 48; Keckeis: Dramaturgische Probleme im Sturm und Drang, S. 16; Zorn: Die Motive der Sturm- und Drang-Dramatiker, S. 12; Brombacher: Der deutsche Bürger im Literaturspiegel von Lessing bis Sternheim, S. 15; Rameckers: Der Kindesmord ..., S. 110 f.; Genton: Lenz—Klinger—Wagner, S. 132, 145, 146; Korff: Geist der Goethezeit, S. 7, 10 f., 12, 31, 32, 73, 75, 201—264; Krauss: Über die Konstellation der deutschen Aufklärung, S. 388; Bruford: Germany in the Eighteenth Century, S. 319; Pascal: Der Sturm und Drang, S. 14, 57—74, 112, 173, 179, 181, 182, 205, 231, 234, 351, 359, 361 f., 363, 368; Windfuhr: Nachwort zu: Jakob Michael Reinhold Lenz ,Die Soldaten', S. 61; Hermand: Von deutscher Republik, S. 58—74 (Bd. 2); Mayer: Lenz oder die Alternative, S. 822; Melchinger: Geschichte des politischen Theaters, S. 216, 226.

gewonnen wurde die gesellschaftliche und politische Dimension; Wagners Straßburger Kreis erörterte 1776, im Jahr der ‚Kindermörderin‘, eine Abhandlung des Aktuarius Salzmann „von der Glückseligkeit in bürgerlichen Gesellschaften"[13], und im Vorjahr hatte Lenz, mit Bezug auf die ‚Soldaten‘, an Herder geschrieben: „Ich freue mich himmlische Freude, daß Du mein Stück gerade von der Seite empfindest auf der ichs empfunden wünschte, von der Politischen."[14] Zur selben Zeit wandte auch Karl Philipp Moritz sein Interesse „der durch bürgerliche Verhältnisse unterdrückten Menschheit"[15] zu. Statt der inneren wurden nun die äußeren Bindungen zum Gegenstand der Kritik[16], das Problem des Lebens (so Hegel über Schillers ‚Kabale und Liebe‘) „unter drückenden, widerwärtigen Verhältnissen"[17].

Die vom Sturm und Drang, jener „ersten demokratischen Literaturbewegung Deutschlands"[18], derart kritisierten Zustände können hier nicht im Detail beschrieben werden; statt dessen sei hier, mit gutem Grund, lediglich Friedrich Engels zitiert, dessen Zeugnis, als so parteiisches wie polemisches, zwar in seiner historischen Beweiskraft geschmälert scheint — und doch auch wieder nicht, nämlich indem es derart aufs genaueste der historischen, durchaus parteiischen und polemischen Position des Sturm und Drang wieder sich angleicht.

„Es ist fast unglaublich, welche Grausamkeiten und Willküraktе von den hochmütigen Fürsten gegen ihre Untertanen begangen wurden. Diese Fürsten, die nur ihrem Vergnügen und ihren Ausschweifungen lebten, räumten ihren Ministern und Regierungsbeamten jede despotische Gewalt ein, und diesen war es somit gestattet, ohne irgendeine Bestrafung zu riskieren, das unglückliche Volk in den Staub zu treten, nur unter der einen Bedingung, daß sie die Schatzkammer ihres Herrn füllten und seinen Harem mit einer unerschöpflichen Zufuhr weiblicher Schönheiten versorgten. Auch der Adel, soweit er nicht unabhängig war, sondern der Hoheit eines Königs, Bischofs oder Fürsten unterstand, behandelte das Volk mit größerer Verachtung, als er Hunden zuteil werden ließ, und preßte aus der Arbeit seiner Leibeigenen soviel Geld heraus, als er irgend konnte — denn die Leibeigenschaft war damals in Deutschland eine allgemeine Erscheinung. Ebensowenig gab es irgendein Anzeichen von Freiheit in den eigens als frei bezeichneten Reichsstädten, denn hier regierten mit noch größerer Tyrannei der Bürgermeister und der selbstgewählte Senat, deren Ämter im Laufe der Jahrhunderte ebenso erblich geworden waren wie die Kaiserkrone. Nichts kommt dem infamen Benehmen dieser kleinen bürgerlichen Aristokraten der Städte gleich und in der Tat, man würde es nicht glauben, daß der Zustand Deutschlands vor fünfzig Jahren so war, wenn er nicht noch im Gedächtnis vieler lebte, die sich an diese Zeit erinnern, und wenn er nicht durch hundert Autoritäten bestätigt würde."[19] „Das ganze Land war eine lebende Masse von Fäulnis und abstoßendem Verfall. Niemand fühlte sich wohl. Das Gewerbe, der Handel, die Industrie und die Landwirtschaft des Landes waren fast auf ein Nichts herabgesunken;

---

(13) Zit. nach Froitzheim: Zu Strassburgs Sturm- und Drangperiode, S. 52.
(14) Briefe von und an J. M. R. Lenz, S. 145.
(15) Moritz: Anton Reiser, S. 366.
(16) Hauser: Sozialgeschichte der Kunst und Literatur, S. 610; Lukács: Zur Soziologie des modernen Dramas, S. 289 f.
(17) Hegel: Ästhetik, S. 194 (Bd. 1).
(18) Harich: Jean Pauls Kritik des philosophischen Egoismus, S. 31.
(19) Engels: Deutsche Zustände, S. 565 f.

die Bauernschaft, die Gewerbetreibenden und Fabrikanten litten unter dem doppelten Druck einer blutsaugenden Regierung und schlechter Geschäfte; der Adel und die Fürsten fanden, daß ihre Einkünfte, trotz der Auspressung ihrer Untertanen, nicht so gesteigert werden konnten, daß sie mit ihren wachsenden Ausgaben Schritt hielten; alles war verkehrt, und ein allgemeines Unbehagen herrschte im ganzen Lande. Keine Bildung, keine Mittel, um auf das Bewußtsein der Massen zu wirken, keine freie Presse, kein Gemeingeist, nicht einmal ein ausgedehnter Handel mit anderen Ländern — nichts als Gemeinheit und Selbstsucht — ein gemeiner, kriechender, elender Krämergeist durchdrang das ganze Volk. Alles war überlebt, bröckelte ab, ging rasch dem Ruin entgegen, und es gab nicht einmal die leiseste Hoffnung auf eine vorteilhafte Änderung; die Nation hatte nicht einmal genügend Kraft, um die modernden Leichname toter Institutionen hinwegzuräumen."[20]

Auf seltsame Weise widerspricht dem die Charakteristik Goethes (wofür die Gründe wohl in seiner Biographie, genauer: in seinem Arrangement mit eben den Zuständen, zu suchen wären):

„In Deutschland war es noch kaum jemand eingefallen, jene ungeheure privilegierte Masse zu beneiden oder ihr die glücklichen Weltvorzüge zu mißgönnen. Der Mittelstand hatte sich ungestört dem Handel und den Wissenschaften gewidmet und hatte freilich dadurch, sowie durch die nahverwandte Technik, sich zu einem bedeutenden Gegengewicht erhoben; ganz oder halb freie Städte begünstigten diese Tätigkeit, so wie die Menschen darin ein gewisses ruhiges Behagen empfanden."[21] Trotzdem „geriet man", und Goethe bleibt denn auch eine schlüssige Erklärung schuldig, „zu einem bisher für unnatürlich gehaltenen Benehmen: dieses war, die höheren Stände herabzusetzen und sie mehr oder weniger anzutasten. [...] Von dieser Zeit an wählte man die theatralischen Bösewichter immer aus den höheren Ständen."[22]

Beider Darstellungen konvergieren freilich darin (und nur darauf kommt es einstweilen an), daß eine in Schichten oder Klassen zerteilte Gesellschaft beschrieben, und daß seitens der zeitgenössischen Literatur an ihr Kritik geübt wird; ob dies zu Recht oder Unrecht geschieht, ist das einzige, worin sie divergieren — eine andere Frage, die aber gewiß im Sinne von Engels wird beantwortet werden müssen.[23] Nicht nur in den weltlich oder geistlich regierten Territorien, sondern selbst in den Freien Reichsstädten war das soziale Kastenwesen evident: „Die Gesellschaft theilt sich hier in Adel- und Bürgerstand ein; jeder hat Assemblées und Gesellschaften unter sich selbst, und vermischt sich nicht mit den andern"[24] (so ein Bericht über Frankfurt, von 1782); und dieses System der Teilung war, quasi als anderes divide et impera, zugleich eines der Herrschaft.

Dem Protest dagegen hatte Diderot, eine vielberufene Autorität noch des

(20) Engels: Deutsche Zustände, S. 566 f.
(21) Goethe: Dichtung und Wahrheit, S. 115 (Bd. 10).
(22) Goethe: Dichtung und Wahrheit, S. 569 (Bd. 9).
(23) Biedermann: Deutschland im Achtzehnten Jahrhundert. 1,2; Balet/Gerhard: Die Verbürgerlichung der deutschen Kunst...; Löwenthal: Erzählkunst und Gesellschaft, S. 40 f.; Pascal: Der Sturm und Drang, S. 353, 362.
(24) Landolt: Reiseerinnerungen eines Zürichers, S. 123; ebenso: Birkner: Leben und Sterben..., S. 139—141.

deutschen Sturm und Drang, das Programm vorgegeben: „Die elenden willkürlichen Satzungen sind es, die den Menschen verderben; diese muß man anklagen und nicht die menschliche Natur."[25] Der Spott, derart eine Form der Kritik, „muß nach der Höhe zielen"; „und das wird in einem Staate geschehen, in welchem die Menschen von verschiedenem Range sind, und den man mit einer hohen Pyramide vergleichen kann, wo diejenigen, die auf dem Grunde liegen, auf denen die ganze sie erdrückende Last ruhet, gezwungen sind, auch sogar in ihren Klagen bescheiden zu sein."[26] Somit wurde die Kritik an den Zuständen konkret als Kritik an deren Verursachern; auf der einen Seite der Adel, auf der anderen das Bürgertum (welches, nach einer Parole der französischen Revolution, alles war, nichts besaß, und etwas zu sein verlangte): diesen Konflikt reflektiert die Literatur des Sturm und Drang.[27] „Jedes bemerkenswerte Werk dieser Zeit atmet einen Geist des Trotzes und der Rebellion gegen die deutsche Gesellschaft, wie sie damals bestand."[28] Und jedes Werk war „Ausdruck der radikalen Opposition gegen die etablierten Autoritäten"[29]. — Selbst nach Joseph von Eichendorff, einem jüngeren Zeitgenossen und erstaunlich klarsichtigen Anhänger der Gegenpartei, war die historische „Bedeutung und Aufgabe" des Bürgertums „die Wiederbelebung der allmählig stagnierenden Gesellschaft durch neue bewegende Elemente, mit einem Wort: die Opposition gegen den verknöcherten Aristokratismus"[30]; die sich literarisch und polemisch aussprach, indem „alle Laster [...] dem Adel, alle Tugenden den niederen Ständen zugewiesen wurden"[31]. Wie sehr es damit seine Richtigkeit hat, erhellt aus der Tatsache, daß Wagners ‚Reue nach der That' 1775 „sofort in seinem gegen adelige Willkür gerichteten sozialrevolutionären Bürgergeist richtig verstanden"[32] wurde; ebenso aus der hier zu erinnernden, daß seine ‚Kindermörderin' 1777 in Berlin an der Zensur scheiterte.[33] Diese besondere Art der Wirkung eines Werks ist die positive Probe auf die Wahrheit seiner Absicht und Tendenz.

Näher ans Zentrum führt die Frage, in welcher Gestalt das, was kritisiert werden soll, nun erscheint. Denn um literarisch tauglich und wirksam sein zu können, bedürfen jene Zustände der Personifikation[34]; und so verdichtet sich der politische Konflikt zu einem nur scheinbar privaten, zum Motiv der Més-

---

(25) Diderot: Von der dramatischen Dichtkunst, S. 250.
(26) Diderot: Von der dramatischen Dichtkunst, S. 309.
(27) Korff: Geist der Goethezeit, S. 76; Bruford: Germany in the Eighteenth Century, S. 227, 312, 314, 317, 318 f.; Lukács: Zur Soziologie des modernen Dramas, S. 277, 278, 280; Hauser: Sozialgeschichte der Kunst und Literatur, S. 600; Pascal: Der Sturm und Drang, S. 4, 75, 78, 79; Hermand: Von deutscher Republik, S. 75—89 (Bd. 2); Burger: Die bürgerliche Sitte, S. 195 f.; Schaer: Die Gesellschaft im deutschen bürgerlichen Drama . . . , S. 155—177.
(28) Engels: Deutsche Zustände, S. 567.
(29) Löwenthal: Das Bild des Menschen in der Literatur, S. 13.
(30) Eichendorff: Der Adel und die Revolution, S. 403.
(31) Eichendorff: Der Adel und die Revolution, S. 402.
(32) Kindermann: Theatergeschichte Europas 4, S. 560.
(33) Kindermann: Theatergeschichte Europas 4, S. 560.
(34) Lukács: Faust-Studien, S. 179 f.; Petriconi: Die verführte Unschuld, S. 15.

alliance[35] (Eichendorff erinnerte sich „aus den damaligen Leihbibliotheken und Theatern" an „Scharen unglücklicher Liebender, die vom Ahnenstolz unbarmherzig unter die Füße getreten werden"[36]). Es ist dieselbe Reduktion, die Schillers Vorrede zum ‚Fiesco' beschreibt: „Mein Verhältnis mit der bürgerlichen Welt machte mich auch mit dem Herzen bekannter als dem Kabinett, und vielleicht ist eben diese politische Schwäche zu einer poetischen Tugend geworden."[37] In ‚Kabale und Liebe' war noch, nicht gerade glücklich, das Kabinett gezeigt worden; die ‚Kindermörderin' beschränkt sich auf das, was es im Herzen anrichtet. Im Privaten (dem Liebesproblem) wird, wie gesagt, das Politische (das Klassenproblem) aufgewiesen und kritisiert: Klassenvorteile sind wider das Recht, wenn durch sie einer den anderen verführen und dann ungestraft verlassen kann; Klassenschranken sind wider die Natur, wenn trotz ihrer zwei sich verlieben und wegen ihnen dann doch nicht legal sich vereinen können. Beide Möglichkeiten hat der Sturm und Drang in kritischer Absicht gestaltet — Wagner sogar nacheinander am selben Fall im selben Stück. Beide Motive mußten nicht einmal erst zu Demonstrationszwecken erfunden werden; besonders daß ein Adliger gegen eine Bürgerliche List und Gewalt brauchte und Verrat übte, war keine Seltenheit. Zeitgenössische Stimmen bekräftigen dies zur Genüge: die Ehre der Adligen „litt nicht dadurch, daß sie [...] ein braves Bürgermädchen um ihre Unschuld brachten"[38]; ja sie schienen es fast für ihre Pflicht zu halten, „daß wir den gemeinen Leuten ihre Weiber und Töchter verführen"[39]. Johann Georg Schlosser, Goethes Schwager, ließ (bezeichnenderweise in einer Einsendung auf die Preisfrage, wie der Kindesmord zu verhindern sei) einen fiktiven Bürger seinen Fürsten anklagen: „Es schwärmen unter uns eine Menge von Hofleuten, von Offiziers, von Kanzlei- und Regierungsbedienten herum, die du alle bezahlst, und die alle nichts tun als unsere Kinder verführen."[40] Die Juristenfakultät der Universität Halle erteilte solchem Verhalten am Anfang des Jahrhunderts noch ihren Segen, wenn sie in einem Rechtsgutachten Fürsten und Herren als über dem Gesetz stehend betrachtete und folgerte, „dass daher auch ein ungeregeltes Liebesverhältnis mit einem Grossen für eine Person nichts Entehrendes enthalte, dass vielmehr auf eine solche Etwas von dem splendeur ihres amanten übergehe."[41] Nach gehab-

---

(35) Schmidt: Heinrich Leopold Wagner, S. 69; Weißenfels: Goethe im Sturm und Drang, S. 28, 29; Korff: Geist der Goethezeit, S. 236 f.; Genton: Lenz—Klinger—Wagner, S. 52—74; Rameckers: Der Kindesmord..., S. 118 f.; Zorn: Die Motive der Sturm- und Drang-Dramatiker, S. 22 f.; Balet/Gerhard: Die Verbürgerlichung der deutschen Kunst..., S. 164, 173; Bruford: Germany in the Eighteenth Century, S. 229; Pellegrini: 'Sturm und Drang' und politische Revolution, S. 126; Auerbach: Mimesis, S. 406, 409 f.; Pascal: Der Sturm und Drang, S. 61, 62, 183; Melchinger: Dramaturgie des Sturms und Drangs, S. 223; Burger: Die bürgerliche Sitte, S. 201.
(36) Eichendorff: Der Adel und die Revolution, S. 402.
(37) Schiller: Die Verschwörung des Fiesco zu Genua, S. 641.
(38) Zit. nach Hermand: Von deutscher Republik, S. 88 (Bd. 2).
(39) Zit. nach Hermand: Von deutscher Republik, S. 79 (Bd. 2).
(40) Zit. nach Rameckers: Der Kindesmord..., S. 89.
(41) Zit. nach Balet/Gerhard: Die Verbürgerlichung der deutschen Kunst..., S. 46.

tem Vergnügen kam eine Verbindung freilich nicht in Frage; Joseph August Graf von Törring sprach ganz im Sinne seines Standes, und zwar anläßlich seines Agnes-Bernauer-Dramas von 1780, mithin anläßlich eines historischen Falles sozial ungleicher Liebe: „Ich darf euch nicht erst sagen, [...] wie wesentlich die Reinigkeit des Bluts und der Stammfolge bei Fürsten und Rittergeschlechtern sein?"[42] Dem sekundierte der Edelmann in einer Ballade Bürgers: „Ho, Närrchen, so hab' ich es nimmer gemeint! / Wie kann ich zum Weibe dich nehmen? / Ich bin ja entsprossen aus ad'ligem Blut. / Nur Gleiches zu Gleichem gesellet sich gut; / Sonst müßte mein Stamm sich ja schämen."[43] Auch dem Zerbin von Lenz schien „eine Misheyrat [...] ein eben so unverzeihbares Verbrechen, als es ihm ehemals der Ehebruch und die Verführung der Unschuld geschienen hatten"[44]. Ein utopischer Entwurf vom Ende des Jahrhunderts macht endlich ganz klar, wohin dessen Tendenzen zielten: „Es werden keine Mißheiraten mehr möglich sein. Der Reiche wird ohne Erröten die wohlerzogene Tochter des Armen wählen. Der kräftige junge Pächter wird das gnädige Fräulein glücklicher machen, als ein liederlicher Marquis. Die aus solcher Ehe entspringenden Kinder werden tätige Landleute, Wirtschafter, oder auch einsichtsvolle Repräsentanten sein."[45] Darin ist der Sturm und Drang vielleicht besser verstanden worden, als er es selbst vermochte; die am Einzelnen aufgezeigte Negativität der Klassenstruktur verwies auf deren notwendige Negation im Ganzen.

Daß „die Ungleichheit des Standes einige Schwürigkeiten in den Weg legen dürfte"[46], gab auch der Ehekontrakt zu bedenken, den ein Baron von Kleist mit dem Vater eines Straßburger Bürgermädchens schloß — und brach. Lenz, der Reisebegleiter dieses Adligen, hat das Motiv in den ‚Soldaten' aufgegriffen, und was die Gräfin dort an Marie tadelt, mutet wie ein Echo an: „daß Sie den Unterschied nicht kannten, der unter den verschiedenen Ständen herrscht."[47] Mit größtem Nachdruck opponiert noch Schillers ‚Kabale und Liebe' gegen „alle diese eiserne Ketten des Vorurteils"[48]; setzt Natur gegen Konvenienz, Menschheit gegen Mode[49], Weltplan gegen Adelsbrief.[50] Obwohl aber ein Verhältnis, das die sozialen Normen verletzte, „die Fugen der Bürgerwelt auseinandertreiben und die allgemeine ewige Ordnung zugrund stürzen würde"[51], leistet ihm die Mutter doch Vorschub („meine Tochter ist zu was Hohem gemünzt"[52]) und übersieht dabei, daß der Aristokrat nicht Ernst machen kann, es oft auch gar nicht will. Letzteres argwöhnt der Vater (und dieser Wider-

---

(42) Zit. nach Glaser: Friedrich Hebbel: Agnes Bernauer, S. 104.
(43) Bürger: Des Pfarrers Tochter von Taubenhain, S. 37.
(44) Lenz: Zerbin ..., S. 159.
(45) Zit. nach Hermand: Von deutscher Republik, S. 40 (Bd. 2).
(46) Zit. nach Froitzheim: Lenz, Goethe und Cleophe Fibich von Strassburg, S. 38.
(47) Lenz: Die Soldaten, S. 225.
(48) Schiller: Kabale und Liebe, S. 793.
(49) Schiller: Kabale und Liebe, S. 789.
(50) Schiller: Kabale und Liebe, S. 766.
(51) Schiller: Kabale und Liebe, S. 809.
(52) Schiller: Kabale und Liebe, S. 762.

spruch zwischen Angleichung und Abgrenzung ist, bei gleicher Rollenverteilung, als allgemeines bürgerliches Dilemma schon in Wagners Drama vorgebildet): „er wird sie, dir auf der Nase, beschwatzen, dem Mädel eins hinsetzen und führt sich ab, und das Mädel ist verschimpfiert auf ihr Leben lang, bleibt sitzen, oder hats Handwerk verschmeckt, treibts fort."[53] Das Feldzeichen, unter dem das Bürgertum zum Kampf antrat, war nämlich sein als überlegen empfundener Begriff von Tugend und Ehre, und auch deshalb schien ein ungeregeltes Verhältnis die eigene Bastion an entscheidender Stelle zu schwächen. „Wer eines Mannes Kind verlüderlicht, der hat ihn an seinem Leben angetastet."[54] Ohne ausdrücklichen Bezug auf die Mésalliance, sie aber gleichwohl einschließend, hat Knigge im bürgerlichen Sittenkodex vorrangig dessen gedacht:

„Es leben unter uns Männern Bösewichte, denen Tugend, Redlichkeit und die Ruhe ihrer Mitmenschen so wenig heilig sind, daß sie unschuldige, unerfahrne Mädchen, wo nicht durch schlaue Künste wirklich zum Laster verführen, doch mit falschen Erwartungen oder gar mit Versprechungen einer künftigen Eheverbindung täuschen, sich dadurch für den Augenblick eine angenehme Existenz verschaffen, die armen Kinder aber, die indes ihretwegen aller Gelegenheit zu anderweitiger Versorgung ausgewichen sind, nachher verlassen, um neue Verbindungen zu schließen. Die Schändlichkeit eines solchen Verfahrens wird ja wohl jeder einsehn, der noch einen Funken für Gefühl von Ehre in seinem Busen trägt, und wem ein solches Gefühl fremd ist, für den schreibe ich nicht."[55]

Wie in einem Brennglas wird das soziale Problem im Motiv der Mésalliance zusammengefaßt; personifiziert durch Emilia Galotti und Hettore Gonzaga, Marie Wesener und Desportes, Luise Miller und Ferdinand von Walter, um nur die allerwichtigsten zu nennen, denn ihresgleichen erscheinen in fast jedem Werk der Zeit (und haben, was hier nur anzudeuten ist, bei je gewandelter Gesellschaftslage ihre Nachfahren in ‚Woyzeck', ‚Maria Magdalene', ‚Rose Bernd', sowie in der gesamten Trivialliteratur folgender Jahrhunderte bis hin zur ‚Love Story').[56] Um so schärfer tritt das Problem hervor, wenn auf adliger Seite bloße Unaufrichtigkeit, List und Gewalt im Spiel sind, somit die Worte der Milford illustrierend: „Die Wollust der Großen dieser Welt ist die nimmersatte Hyäne, die sich mit Heißhunger Opfer sucht"[57]; am schärfsten aber, wenn sich erweist, daß für das alsbald verlassene Mädchen jenes Verhältnis nicht ohne Folgen blieb: „O weh mir, daß du mich zur Mutter gemacht, / Bevor du mich machtest zum Weibe! / Sieh her! Sieh her! Mit Jammer und Hohn / Trag' ich dafür nun den schmerzlichen Lohn / An meinem zerschlagenen Leibe!"[58] Angesichts sowohl der Schande als auch der Strafe, die unverheiratete Mütter zu gewärtigen hatten, lag die Versuchung nahe, die Folge der Verbindung insgeheim zu beseitigen; und so gesellt sich dem Motiv der Mésalliance notwendig

(53) Schiller: Kabale und Liebe, S. 757 f.
(54) Lenz: Der neue Menoza . . . , S. 126
(55) Knigge: Über den Umgang mit Menschen, S. 177 f.
(56) Schiller: Fiesco I, 10 und 12; Schiller: Die Räuber, III, 2.
(57) Schiller: Kabale und Liebe, S. 786.
(58) Bürger: Des Pfarrers Tochter von Taubenhain, S. 36.

das des Kindesmords zu, dessen zentrale Rolle im Sturm und Drang andernorts in aller Ausführlichkeit dargestellt worden ist.[59] Zahllose Werke dieser (und späterer[60]) Zeit nahmen es zum Anlaß, um daran modellhaft die durch ungerechte Zustände erzwungene, damit entschuldbare Verschuldung der Täterin zu demonstrieren, welche folglich als Opfer jener Zustände erscheint.

„Gelehrte sind auch deswegen der Meynung, daß eine solche Kindermörderin nicht wohl am Leben zu strafen sey, weil sie im Delicto sich nicht mehr im eigentlichen Stand der Natur befinde, sondern vielmehr theils durch Schrecken, Angst und Verzweiflung, sinnlos und abgeschwächt, theils durch das Leiden der Geburt ausser sich versetzt sey und daher niemahls einer solchen That wegen ganz zur Rechenschaft gezogen werden könne."[61]

Dies ist der literarische Reflex einer allgemeinen, mit allen Mitteln geführten Justizkampagne; der Kindesmord wurde ja mit dem Tode bestraft, ja sogar die Verheimlichung einer Schwangerschaft als angebliches Indiz eines solchen Vorhabens.[62] Im Protest gegen dieses Gesetz (wie auch schon gegen die Ächtung unverheirateter Mütter[63]) vereinen sich die Stimmen des Zeitalters, von den vergessenen Beantwortern einschlägiger Preisfragen bis hinauf zu Cesare Beccaria, dem maßgeblichen Anreger der Diskussion:

„Der Kindesmord ist [...] die Wirkung eines unvermeidbaren Widerspruchs, in den eine Person sich versetzt sieht, die ihrer Schwäche oder der Gewalt nachgegeben hat. Wie sollte die, welche zwischen der Schande und dem Tode eines Wesens, das dessen Übel zu empfinden unfähig ist, zu wählen hat, nicht diesen dem unabwendbaren Elend vorziehen, dem sie und die glücklose Frucht ausgesetzt sein würden?"[64]

Dazu nur noch ein beliebiges Beispiel, der Traktat ‚Julie oder Die gerettete Kinds-Mörderinn' von 1782:

„Man bestrafe [...] ohne Ausnahme des Standes und Ranges, den Verführer, nicht die verführte Unschuld! die ohnehin, durch empfindliche Schmerzen, unvermeidliche Unkosten, und den Verlust ihrer Ehre, die ganz natürliche Folgen ihres Verbrechens, schwer genug büssen muß. Unverbrüchlich sei das Gesetz: Wer ein Mädchen zu Falle bringt, muß es heurathen."[65]

Einen wesentlicheren Beitrag bildete die Gretchentragödie Goethes, dessen Vaterstadt Frankfurt im Jahre 1772 die Kindsmörderin Susanne Margaretha Brandt hatte exekutieren lassen[66]; und der im Vorjahr, bei seinem Examen pro

---

(59) Rameckers: Der Kindesmord...; Korff: Geist der Goethezeit, S. 245; Zorn: Die Motive der Sturm- und Drang-Dramatiker, S. 66 f.
(60) Engels: Die wahren Sozialisten, S. 282.
(61) Müller: Das Nuß-Kernen, S. 100; ebenso: Brentano: Geschichte vom braven Kasperl und dem schönen Annerl, S. 392 f.; Yourcenar: Die schwarze Flamme, S. 283.
(62) Rameckers: Der Kindesmord..., S. 23, 35, 101; Lenz: Zerbin..., S. 163; Borries: Geschichte der Stadt Strassburg, S. 23.
(63) Balet/Gerhard: Die Verbürgerlichung der deutschen Kunst..., S. 400 f.
(64) Beccaria: Über Verbrechen und Strafen, S. 128.
(65) Zit. nach Rameckers: Der Kindesmord..., S. 264.
(66) Birkner: Leben und Sterben...

licentia, als vorletzte seiner 56 ‚Positiones iuris' formuliert hatte: „Ob die Kindesmörderin mit dem Tode zu bestrafen, ist eine unter den Rechtsgelehrten streitige Frage."[67] Der Kindesmord wurde freilich seinerseits nur als eklatanter Sonderfall des Verbrechens überhaupt gewertet, das es insgesamt in ein neues Licht zu stellen galt[68]; nicht die bloße individuelle Handlung als solche, sondern die überindividuelle Notlage, die sie zum Ausdruck bringt, war zu betrachten, und besser diese zu beheben als jene zu bestrafen. Beccaria[69] wie Voltaire[70] oder Pestalozzi[71] hatten darauf hingewiesen, Beccaria[72] wie Montesquieu[73] zugleich auch darauf, daß die Vervollkommnung der Erziehung als beste Vorbeugung des Verbrechens zu gelten habe (wie denn überhaupt dem pädagogischen Moment im Sturm und Drang hohe Bedeutung zukommt: Erbe der Aufklärung, wovon noch zu reden sein wird). Diese Entschuldigung des Schuldigen stand unter dem Lichtenbergschen Motto: „Es ist eine Frage, ob wir nicht, wenn wir einen Mörder rädern, gerade in den Fehler des Kindes verfallen, das den Stuhl schlägt, an den es sich stößt."[74] Lenz hat im ‚Zerbin' denselben Gedanken ausgeführt:

„Wie vieles kommt auf den Augenblick an, zu wie vielen schrecklichen Katastrophen war nur die Zeit, die Verbindung kleiner, oft unwichtig scheinender Umstände die Lunte! Ach, daß unsere Richter, vielleicht in spätern bessern Zeiten, der göttlichen Gerechtigkeit nachahmend, auch dieß auf die Waagschale legten, nicht die Handlung selbst, wie sie ins Auge fällt, sondern sie mit allen ihren Veranlassungen und zwingenden Ursachen richteten, eh sie sie zu bestrafen das Herz hätten!"[75]

Unter solchem Aspekt stand schließlich die Rechtslage als Ganzes in Frage:

„Die meisten bürgerlichen Gesetze, zu deren Beobachtung wir mit vieler Strenge angehalten werden, sind nichts als Überbleibsel der Dummheit, die wir bloß darum schätzen und verehren, weil wir zu wenig Zeit haben, etwas neues zu erfinden, und das, was wir erfunden haben, mit der erforderlichen Strenge durchzudenken."[76]

Diesen Worten eines Zeitgenossen könnte der direkte Bezug zum Thema bestritten werden, hätte nicht (was ihn schlagartig herstellt) wieder einmal in Wagners Straßburger ‚Deutschen Gesellschaft', und zwar genau in ihrer Gründungsversammlung vom 2. November 1775, einer der Teilnehmer „eine franz. Abhandl. üb. die Unvollkommenheit der Criminalgesetze vorgelesen [...]. Diese Schrift interessirte die Gesellschaft um so viel mehr, als einige ganz

(67) Zit. nach Rameckers: Der Kindesmord . . . , S. 188 f.
(68) Rameckers: Der Kindesmord . . . , S. 107; Korff: Geist der Goethezeit, S. 200, 220; Hauser: Sozialgeschichte der Kunst und Literatur, S. 609 f.
(69) Beccaria: Über Verbrechen und Strafen, S. 129, 148, 150.
(70) Rameckers: Der Kindesmord . . . , S. 59.
(71) Rameckers: Der Kindesmord . . . , S. 92.
(72) Beccaria: Über Verbrechen und Strafen, S. 155.
(73) Rameckers: Der Kindesmord . . . , S. 57.
(74) Lichtenberg: Vermächtnisse, S. 157.
(75) Lenz: Zerbin . . . , S. 157.
(76) Zit. nach Hermand: Von deutscher Republik, S. 44 (Bd. 2).

frische Beyspiele in diesen Gegenden dem warmen und geniereichen Ausdruck des Verfassers mehr Gewicht zu geben scheinen."[77] Es war ein Jurist, wie Wagner, Goethe, Schiller, Klinger, Sprickmann, Gemmingen, und wie Lenz einer werden wollte.[78] Diese ihre gemeinsame Voraussetzung erhellt etwas von ihrem, und des Sturm und Drang, Kampf ums Recht.[79]

Ein Nachtrag zu der Behauptung, daß jener einzelne Fall von Verführung und Kindesmord für viele ähnliche Fälle repräsentativ und exemplarisch einstehen solle: sie wird vom Text des Dramas selber bekräftigt. Es ist der Leutnant, der noch im Bordell zu Evchen sagt: „du bist ja nicht die erste" (17)[80], und dies, wie so manches, verweist auf Goethes ‚Faust'; schon in der Urfassung sagt Mephisto: „Sie ist die erste nicht!"[81] Dies wiederum verweist aber auf die wohl einflußreichste Quelle, den erwähnten Prozeß gegen die Frankfurter Kindsmörderin von 1771, wo die Protokolle gleich dreifach den Ausspruch überliefern: „sie wäre nicht die erste, und würde auch nicht die letzte seyn."[82] Wie ein fernes Echo hat noch Alexander S. Puschkins Wiederaufnahme des Themas dessen stellvertretende Funktion wiederholt: „Sie ist nicht die erste und wird auch nicht die letzte sein, die von einem Leichtfuß verführt, eine Weile ausgehalten, dann aber weggeworfen wird. Es gibt deren viele in Petersburg, dumme Dinger, die heute in Sammet und Atlas einhergehen, morgen aber im Handumdrehen mit dem Gesindel aus den Kneipen die Straßen kehren."[83]

Noch ein Nachtrag zum Typus des Verbrechers, welcher (als, nach Hegels Worten über Karl Moor, „Rächer des Unrechts, der Unbilde und Bedrückung"[84]) eben ausführlich in Rede stand: ihn hat, um ihn zu entschuldigen, der Sturm und Drang oft mit dem Wahnsinnigen identifiziert; diesen aber hat Cesare Lombroso, von dem auch eine längst abgetane Typologie des Verbrechers herrührt, mit dem Genie gleichgesetzt (darüber wird im Melancholiekomplex mehr zu sagen sein). Lombrosos Theorien können zu Recht vergessen bleiben, nicht jedoch der Zusammenhang, der in ihnen noch einmal aufscheint; denn die sich als Genies begreifenden Stürmer und Dränger ließen keineswegs zufällig so viele — vom Wahnsinn gestreifte: wie Evchen Humbrecht — Verbrecher agieren. Vielmehr empfanden sie für diese eine durchaus verwandtschaftliche Affinität, als die zweier Möglichkeiten des Ausnahmemenschen. Goethes nachträgliche und somit kritische Beschreibung des Genies deckt auch dessen Parallelgestalt: „Damals manifestierte sich's nur, indem es die vorhandenen Gesetze überschritt, die eingeführten Regeln umwarf und sich für grenzenlos erklärte."[85] Der eine verneinte nur die literarischen Gesetze und

(77) Zit. nach Froitzheim: Zu Strassburgs Sturm- und Drangperiode, S. 48.
(78) Rameckers: Der Kindesmord..., S. 103 f.
(79) Balet/Gerhard: Die Verbürgerlichung der deutschen Kunst..., S. 244 f.
(80) Textstellen des Wagnerschen Dramas werden fortan mit einfacher (eingeklammerter) Angabe der Seitenzahl erwähnter Ausgabe zitiert, Materialien aus deren Anhang weiterhin als Wagner/Fechner.
(81) Goethe: Urfaust, S. 415.
(82) Birkner: Leben und Sterben..., S. 24, 31, 52.
(83) Puschkin: Der Postaufseher, S. 115.
(84) Hegel: Ästhetik, S. 194 (Bd. 1).

Regeln (die Wortwahl ist bezeichnend), während — und indem, als seine Projektion — der andere auch die sozialen negierte. Der üppig blühende Geniekult erklärt sich aus der alltäglichen Misere, der Unterdrückung und Einschüchterung, die er kompensieren sollte[86]; sein Gegenbild ist die Kultivierung des Empfindsamen („entweder revolutionäre Auflehnung gegen das Bestehende, trotzige Kampflust, der Typus des 'Kerls' oder nervöse Scheu vor der Wirklichkeit, ein Zurückweichen in die eigene innere Welt"[87]), sein Spiegelbild die des Verbrechers, der für sich aus der theoretischen Opposition eine praktische macht. In diesem Zusammenhang ist die gesamte bürgerliche Problematik des späten 18. Jahrhunderts beschlossen: der literarische Protest gegen die soziale Wirklichkeit in seinen verschiedenen, gleichwohl immer literarisch, auf dem Papier und auf der Bühne bleibenden Formen (empfindsam, genialisch, wahnsinnig, verbrecherisch) zwischen Resignation und Rebellion.

(85) Goethe: Dichtung und Wahrheit, S. 161 (Bd. 10).
(86) Hauser: Sozialgeschichte der Kunst und Literatur, S. 635—637.
(87) Weißenfels: Goethe im Sturm und Drang, S. 163.

4. Melancholie

> Der kollektive Charakter der Resignations-
> phänomene dieser Zeit wird so gebrochen in
> den individuellen Kunstschöpfungen, die sich
> der generalisierten Gemütslage nicht entziehen
> können, sie aber in einer je originalen Weise
> verarbeiten und widerspiegeln.
>
> Wolf Lepenies[1]

Ein Motiv dieses Trauerspiels, das unendlich viel mehr bedeutet, als es in dessen
Kontext besagt — das ist Evchens „Melancholie oder Kopfhängerey" (47):
„Beständig sitzt sie in ihrem Zimmer, die Melancholie frißt sie noch auf"
(36 f.), so klagt der Magister. Gewiß, hierin ist Hasenpoth recht zu geben,
„hat ihre Melancholie physische Ursachen zum Grund" (44), nämlich ihre
Schwangerschaft (was Gröningseck sogleich bestätigt), dergestalt die gefühlte
Ausweglosigkeit ihrer Situation. Insoweit ähnelt Evchens Reaktion bloß der
ihrer Leidensgenossinnen sich an, nach stattgehabter Verführung und Verlas-
sung durch einen sozial Höhergestellten. „Sie sah nun ihr Schicksal als eine
Strafe Gottes für ihren Leichtsinn an, der höchste Grad der Melancholey, und
fand ihren Trost, ihre Wollust in verborgenen Thränen."[2] Dies von Lenz über
Zerbins Marie; und noch Brentano läßt den Fähndrich Graf Grossinger seiner
Untat wegen wie folgt mit sich ins Gericht gehen: „Ich war ein elender Verbrecher. Sie hatte ein schriftliches Eheversprechen von mir gehabt und hat es
verbrannt. Sie diente bei einer alten Tante von mir, sie litt oft an Melancholie."[3] Daß (bei Brentano) diese Stimmung nicht einmal präzis als Folge des Geschehens, sondern vielmehr als ihm vorausliegend, von ihm unabhängig gefaßt
wird, muß bereits zu denken geben (es sei denn, daß sie von ihm, aus einer
Latenz heraus, erst aktualisiert würde); auch daß sie (bei Wagner) nicht einmal
bloß von eben jenem Geschehen sich nährt, sondern von Überindividuellem,
von dem Modebuch jener Jahre.[4] Ein Gespräch über Evchens Zustand:

v. Hasenpoth [...] Hat sie den Anfall schon lang?
Magister. So genau läßt sich die Zeit nicht bestimmen; — er kam nach Graden, wird
aber leider täglich ärger. Youngs Nachtgedanken in der französischen Übersetzung,
sind jetzt ihr Lieblingsbuch.
v. Hasenpoth. Da sey ihr Gott gnädig! — Wenn ich ein einiges Blatt drinn lesen müßte,
so wär ich kapable den Engländer zu machen, und mich an mein Knieband zu
hängen. (37)

---

(1) Lepenies: Melancholie und Gesellschaft, S. 84.
(2) Lenz: Zerbin..., S. 162.
(3) Brentano: Geschichte vom braven Kasperl und dem schönen Annerl, S. 403.
(4) Price: Die Aufnahme englischer Literatur..., S. 120—127.

Der Verweis aufs Buch — es gilt als ungefährlich „für eine heitre, ruhige, mit sich und allem was rund um sie her athmet zufriedne Seele", als gefährlich aber „für ein misvergnügtes, abgespantes, erschlaftes Herz, ohne welches keine Melancholie statt haben kann" (37) — bestätigt mehr als die zeittypische Abneigung gegen das Lesen der Frauen[5], mehr auch als „den topos von der Affinität des Schwermütigen zu trauriger Lektüre"[6]; er verdeutlicht — auch in der fast ängstlichen, Gefahr witternden Ausweichreaktion jener Personen — den Charakter von Schwermut als einer kollektiven Grundstimmung des Sturm und Drang.

Melancholiker nämlich, das zeigt schon eine oberflächliche Betrachtung, waren dessen Repräsentanten zum größeren (und besseren) Teil: von Hamann[7] und Herder[8], den Wegbereitern, bis hin zu Lenz und Merck, der, wie so viele, schwermütig seinem Leben selbst ein Ende machte. Überhaupt erschien Selbstmord, von dem Hasenpoth ja auch schon spricht, als einziger Ausweg aus so verzweifelter Ausweglosigkeit, zeitweise ungeheuer befördert durch ‚Die Leiden des jungen Werthers', jenes vollkommene Konzentrat bürgerlicher Melancholie (die dann unter den Namen Wertherkrankheit, Wertherfieber firmierte).[9] Im Rückblick auf die, welche in ihnen sich wiedererkannten, mit ihnen bis zum Tod sich identifizierten, schrieb der Verfasser: „Wir haben es hier mit solchen zu tun, denen eigentlich aus Mangel von Taten, in dem friedlichsten Zustande von der Welt, durch übertriebene Forderungen an sich selbst das Leben verleidet."[10] Und weiter mit Goethe, der immer wieder, erinnernd und freilich abwiegelnd, „das größte Übel, die schwerste Krankheit"[11], jene „Symptome des Lebensüberdrusses"[12] umkreist, dabei den Einfluß englischer Literatur hervorhebend, deren „ernster Trübsinn"[13] sowohl ausgedrückt als auch bewirkt, was er nochmals „einen düstern Überdruß des Lebens"[14] nennt, und nicht ohne Youngs ‚Nachtgedanken' (Evchens Lektüre!) besondere Erwähnung zu tun.[15]

„In einem solchen Element, bei solcher Umgebung, bei Liebhabereien und Studien dieser Art, von unbefriedigten Leidenschaften gepeinigt, von außen zu bedeutenden Handlungen keineswegs angeregt, in der einzigen Aussicht, uns in einem schleppenden, geistlosen, bürgerlichen Leben hinhalten zu müssen, befreundete man sich, in unmutigem Übermut, mit dem Gedanken, das Leben, wenn es einem nicht mehr anstehe, nach eignem Belieben allenfalls verlassen zu können, und half sich damit über die Unbilden und Langeweile der Tage notdürftig genug hin."[16]

(5) Stockmeyer: Soziale Probleme..., S. 61—66; Schaer: Die Gesellschaft im deutschen bürgerlichen Drama..., S. 140—143.
(6) Mattenklott: Melancholie..., S. 151.
(7) Pascal: Der Sturm und Drang, S. 14 ff.
(8) Pascal: Der Sturm und Drang, S. 23 ff.
(9) Scherpe: Werther und Wertherwirkung.
(10) Goethe: Dichtung und Wahrheit, S. 583 (Bd. 9).
(11) Goethe: Dichtung und Wahrheit, S. 578 (Bd. 9).
(12) Goethe: Dichtung und Wahrheit, S. 578 (Bd. 9).
(13) Goethe: Dichtung und Wahrheit, S. 580 (Bd. 9).
(14) Goethe: Dichtung und Wahrheit, S. 581 (Bd. 9).
(15) Goethe: Dichtung und Wahrheit, S. 581 (Bd. 9).
(16) Goethe: Dichtung und Wahrheit, S. 583 (Bd. 9).

In beiden Zitaten rekurriert Melancholie auf die Unmöglichkeit des Handelns und der Tat im bürgerlichen Leben, und das ist nun freilich ihr sozialer und politischer Grund, den Goethe ansonsten („Jener Ekel vor dem Leben hat seine physischen und seine sittlichen Ursachen"[17]) ein wenig camoufliert. Von dorther ließe sich denn auch der Sinn des ‚Werther' selbst entziffern, obschon solche Lesart nicht allgemein willkommen sein mag. Keineswegs zufällig liegt, als Werther stirbt, ein Exemplar der ‚Emilia Galotti' auf seinem Pult; was bedeuten will, daß deren wie seine eigene „persönliche Tragödie [...] in einer sozialen Tragödie verwurzelt" ist:

„Die Tragödie eines jungen und spontan handelnden Menschen, der daran gehindert wird, sich in produktiver Weise mit jenen gesellschaftlichen Instinkten und Institutionen zu identifizieren, auf die er sein ‚brausendes Herz' richten möchte. Mit seinen Frustrationen steht Werther als Beispiel für eine ganze Schicht, für die Jugend unter den Intellektuellen und in den akademischen Berufen Deutschlands, die gern an der politischen Ordnung mitarbeiten würde, von einer veralteten Gesellschaftsstruktur aber daran gehindert wird."[18] „Werthers Selbstmord spricht den gleichen Protest aus, dem der Tod Emilia Galottis Stimme verleiht — es ist in beiden Fällen ein eindeutig gesellschaftlicher Protest; Auflehnung gegen die Sitten und Kabalen einer tyrannischen, kleinlichen, nutzlosen und überholten Gesellschaft."[19]

Thomas Mann sogar, ein gewiß unverdächtiger Zeuge, hat am selben Beispiel das scheinbar Private der Melancholie mit dem Politischen, aus dem sie sich doch herleitet, in Zusammenhang gebracht:

„Man darf das soziale Motiv nicht vergessen, das Goethe mit aufgenommen hat, um das Bild von Werthers Lebensekel vollständig zu machen, den Klassenkonflikt, in den er seinen sensitiven Helden zu der Zeit geraten läßt, als er die Nähe Lottens geflohen hat und Attaché einer Gesandtschaft geworden ist. Sein Zusammenstoß mit der hochnäsigen Adelsgesellschaft, [...] dieser demütigende und aufreizende Zusammenstoß mit der verhaßten Klasse ist zu charakteristisch für die historische Stellung des Buches und seine revolutionäre Grundtendenz, als daß auch die flüchtigste Analyse ihn übergehen dürfte. [...] Es ist aber festzustellen, daß auch ohne diese Zuspitzung ‚Werthers Leiden' zu den Büchern zu zählen wäre, die die Französische Revolution angekündigt und vorbereitet haben."[20]

So fungiert der ‚Werther', und er nicht allein[21], als Ausdruck „der tragischen Unvereinbarkeit eines so reichen Innenlebens mit dem tätigen Leben, nach welchem jenes dürstet und welches ihm unerreichbar bleibt"[22]; als Ausdruck für „das Dilemma seiner Zeit, das Unbehagen an einer Gesellschaft, [...] die nie und nimmer dem Menschen Raum zur vollen Entfaltung geben konnte"[23].

---

(17) Goethe: Dichtung und Wahrheit, S. 578 (Bd. 9).
(18) Löwenthal: Erzählkunst und Gesellschaft, S. 53.
(19) Löwenthal: Erzählkunst und Gesellschaft, S. 55; ebenso: Löwenthal: Das Bild des Menschen in der Literatur, S. 202—208; Hirsch: ‚Die Leiden des jungen Werthers'.
(20) Mann: Goethes ‚Werther', S. 653 f.
(21) Pascal: Der Sturm und Drang, S. 243.
(22) Pascal: Der Sturm und Drang, S. 183.
(23) Pascal: Der Sturm und Drang, S. 204.

(Diese Erkenntnis schon der älteren Sekundärliteratur[24], die so offen auf der Hand zu liegen scheint, ist dennoch immer wieder verfälscht und verleugnet worden; so etwa, wenn eine neuere Untersuchung dem Sturm und Drang ganz richtig jene „Inkongruenz von Einsicht und Welt", jenen „Widerstreit zwischen dem Ich und dem Objektiven" zugrundelegt, beides aber dann zusammenfassend präzisiert als „das Unvermögen, die subjektive Vorstellungswelt den Maßen der Realität anzugleichen"[25] — wo es sich doch genau umgekehrt verhält. Was hier geliefert wird, ist die Definition des psychotischen statt melancholischen Typus.) In einer Rede vor der Straßburger ‚Deutschen Gesellschaft', über Goethes ‚Götz', hat Lenz mit einer barocken Metapher[26] die Situation benannt, in der er und seinesgleichen sich befanden: „Wir sind alle, meine Herren! in gewissem Verstand noch stumme Personen auf dem großen Theater der Welt, bis es den Direkteurs gefallen wird uns eine Rolle zu geben."[27]

Den jungen bürgerlichen Intellektuellen war es nicht verstattet, ihre radikale politische Theorie in ebensolche Praxis umzumünzen; Bürgerlichkeit und Radikalität, was auf dasselbe hinausläuft, mußte preisgeben, wer in die Kabinette Einlaß begehrte. Diesen Zusammenhang vermöchten die Lebensläufe derer zu illustrieren, die — wie etwa Klinger, Goethe, Schiller — sowohl mit ihren Anfängen brachen als auch sich adeln ließen[28]; und ex negativo, die der anderen, welchen mißriet, was jenen gelang. Zu ihnen wird ebenfalls Wagner zu zählen sein, unter eben dem Aspekt von Handlungshemmung und Melancholie; denn so aufdringlich wie erfolglos sind seine Versuche, sich den Herrschenden zu empfehlen: seine etwa „dem durchl. Fürsten von Nassau-Saarbrück in tiefster Ehrfurcht"[29] gewidmeten Gedichte, sein das Kaiserhaus verklärendes Drama ‚Die Reue nach der That', wohl auch seine Parteinahme für den Präsidenten von Günderode (worauf er, dessen Hofmeister, durch allerhöchsten Befehl aus dem Ländchen gejagt wurde). Und gerade als Hofmeister, um dieses Stichwort aufzugreifen, erfuhr er sich wie nirgends sonst als exemplarisches Opfer „einer völlig labilen Situation, die den Intellektuellen sozial isolierte und in die Lücken des ständischen Gefüges plazierte"[30]. „Es kann mir durch die Seele gehn," notierte der Freiherr von Knigge, „wenn ich den Hofmeister in manchem adeligen Hause demütig und stumm an der Tafel seiner gnädigen Herrschaft sitzen sehe, wo er es nicht wagt, sich in irgendein Gespräch zu mischen, sich auf irgendeine Weise der übrigen Gesellschaft gleichzustellen"[31]; denselben Hofmeister, dem in Lenz' gleichnamigem Drama bedeutet wurde, „daß Domestiken in Gesellschaften von Standespersonen nicht mitreden"[32]. Kein Zweifel besteht

(24) Weißenfels: Goethe im Sturm und Drang, S. 17.
(25) Kästner: Wahn und Wirklichkeit ..., S. 97.
(26) Barner: Barockrhetorik, S. 86—131.
(27) Lenz: Über Götz von Berlichingen, S. 381.
(28) Pascal: Der Sturm und Drang, S. 62.
(29) Zit. nach Goedeke: Grundriß zur Geschichte der deutschen Dichtung, S. 305.
(30) Gerth: Die sozialgeschichtliche Lage ..., S. 80; ebenso: Genton: Lenz—Klinger—Wagner, S. 29—51.
(31) Knigge: Über den Umgang mit Menschen, S. 217.
(32) Lenz: Der Hofmeister ..., S. 15.

also daran, daß die Werke der jungen Wagner, Klinger, Lenz „in einem Zustand geistiger und materieller Demütigung"[33] entstanden, der umgekehrt jedem ihrer Züge, und zumal dem melancholischen, noch anzumerken ist. Es versteht sich von selbst, daß die intellektuell, nicht aber sozial emanzipierten Bürgersöhne diesen Zustand der Isolation nach oben zu verlassen und sich einen Platz in der Oberschicht zu verschaffen suchten (wobei man sie oft genug, und mit Recht, als „Karikaturen des Adels"[34] verlachen mochte).

Wagner selbst ist solcher Aufstieg, wie gesagt, nie recht geglückt; noch seine literarische statt politischer Aktivität verfiel, wie gezeigt, obrigkeitlicher Fesselung mittels Zensur, von den Gedichten über die Dramen bis zu den Rezensionen. Resignative Melancholie wird daher auch sein Teil gewesen sein; die Evchens erscheint derart als ins Drama projizierter Reflex des Autors selber. Und die Ohnmacht Evchens, als im kirchlichen Raum das staatliche Gesetz verkündet wird, ist nicht nur ein notwendiges Element der Handlung oder eine beiläufige Anspielung auf Gretchen im ‚Faust': sie ist die Ohnmacht des dritten Standes vor den gegen ihn verbündeten Institutionen der Obrigkeit. Als ein anderer Reflex kann das Tableau am Ende des fünften Akts gelten, das den von adliger Willkür verdorbenen Bürger, sprach- und reglos, nahezu dem melancholischen Archetyp Dürers anähnelt: „Humbrecht fällt wie betäubt auf einen Stuhl, die Händ auf den Tisch, den Kopf drauf. — Der Vorhang fällt" (71). Gleichfalls in ihm resigniert der Autor.

Es ist also die überall bekundete und nirgendwo befriedigte Sehnsucht nach der Tat (getreu dem Faustschen Motto, das sie in den Anfang setzt)[35], welche „durch die unerquicklichen öffentlichen Verhältnisse Deutschlands zu sehr in das Privatleben zurückgedrängt, zu tief in sich selbst zurückgeworfen wurde"[36]. Abgeschoben wurde sie ins Private, das heißt in die Literatur und als Literatur. Die Bewegung des Sturm und Drang war primär literarischen Wesens, weil die ästhetische Praxis zum Ersatz der politischen geriet; und was sie derart ersatzweise hervorbrachte, trägt noch stets, als Melancholie, das Stigma solch resignativen Verzichts.

„Für die Entwicklung, die, wenn auch sehr, sehr lángsam, im Bürgertum vor sich geht, ist die Dichtung in diesem Fall nicht nur ein Beleg, sondern ein integrierender Bestandteil. Bei Lessing und Herder, den Stürmern und Drängern findet sich die erste Kritik am Bestehenden auch in einem sozialen Sinne. Für die Verzögerung in Deutschland ist es ebenso bezeichnend, daß diese erste bürgerliche Revolution vorzugsweise die Form der Dichtung fand, während im bürgerlich entwickelteren Frankreich Philosophie und Wissenschaft zur ausschlaggebenden Waffe im Kampf gegen die 'Infamie des Bestehenden' geworden waren. Einem klaren und kritischen Allgemeinbewußtsein stehen in Deutschland subjektive und ihrem Bewußtsein nach individuell bestimmte revolutionäre Ausbrüche entgegen. Und wirklich ist ja auch diese deutsche bürgerliche Bewegung in Selbstmord, Wahnsinn und Korruption erstickt."[37]

(33) Genton: Lenz—Klinger—Wagner, S. 28.
(34) Genton: Lenz—Klinger—Wagner, S. 26.
(35) Pellegrini: 'Sturm und Drang' und politische Revolution, S. 125.
(36) Weißenfels: Goethe im Sturm und Drang, S. 18.
(37) Löwenthal: Erzählkunst und Gesellschaft, S. 42.

Darin ist zweierlei hervorzuheben. Zum einen, für den Gegenstand, die differenzierte Begründung des Scheiterns; mit anderen Worten: „Der Kampf des Sturm und Drang galt obrigkeitlicher Willkür in gleichem Maße wie der resignativen Selbstbeschränkung des Bürgertums [...]. Daß die Bewegung literarisch bleibt, hat nicht zuletzt seine Ursache darin, daß sie gleichwohl den bürgerlichen Tugendidealen, so sehr sie ihre praktische Ohnmacht erkannte, verpflichtet war."[38] Nicht so sehr die adlige Herrschaft galt es zu kritisieren als vielmehr die bürgerliche Knechtschaft, die jene verinnerlichte und mit ihr sich abfand; nicht die Obrigkeit war zu bewegen, den Druck aufzuheben, sondern die Untertanen, ihn nicht länger zu erdulden. Sonst nämlich wäre diese gesamte, für ein bürgerliches Publikum bestimmte Literatur nichts anderes gewesen als ein folgenloser Protest an die falsche Adresse. Gerade den Kleinen empfahl ein Zeitgenosse ein ‚Mittel gegen den Hochmuth der Großen': „Viel Klagen hör' ich oft erheben / Vom Hochmuth, den der Große übt. / Der Großen Hochmuth wird sich geben, / Wenn uns're Kriecherei sich gibt."[39] Der Zweifrontenkrieg des Sturm und Drang, das macht Bürgers Ratschlag deutlich, wurde mit größerer Intensität gegen die Schicksalsergebenheit des dritten Standes geführt, die sich allenfalls private und verbale Entladung gestattete; dies bezeugt noch im französischen Revolutionsjahr 1789 ein Gedicht Schubarts, satirisch ‚Deutscher Freiheitsgeist' genannt und ganz in der Humbrechtschen Sphäre angesiedelt: „Der Teufel hol, sprach Metzger Pfund, / Den ganzen Rath! — Er sprach's mit tobendem Gebrülle. / Doch plötzlich kam — des Bürgermeisters Hund: / Der Prahler Pfund stand auf — beugt sich — war mäuschenstille."[40] So scheiterte die politische Bewegung nicht bloß an Äußerem und Oberem, sondern auch an sich selbst, wurde gar nicht erst zu einer solchen, sondern zu einer poetischen, die sie vielmehr blieb. Aus der gesellschaftlichen Not eine literarische Tugend gemacht zu haben: dies ist die Leistung und Fehlleistung des Sturm und Drang.

Und so zum anderen, für die Methode, der an dieser Stelle einleuchtende, wiederholte und zu wiederholende Hinweis auf das Programm einer Literatursoziologie, die die Werke als Bestandteil der Entwicklung, statt als deren Beleg, sich aneignet; sie muß, mit nochmals neuen Worten,

„das Ästhetische als Abweichung von der sozialen Notwendigkeit in einem umfassenden gesellschaftlichen Prozeß fundieren. Nur so läßt sich die methodische Zweideutigkeit beheben, daß Literatur als Mittel zur Interpretation sozialer Strukturen dient, nachdem vorher die soziale Struktur als Mittel zur Interpretation von Literatur gedient hat. Sie ist zu beheben durch Einsicht in eine konkrete Verschränkung: Literatur ist selbst Teil des sozialen Prozesses, durch ihn bis ins Detail bedingt, weil sie in ihm eine Rolle spielt, die von keiner anderen Instanz übernommen werden kann. Nicht als Reflex der gesellschaftlichen Verhältnisse (als wären diese ‚an sich' schon fertig und spiegelten sich nur noch einmal in Kunstwerken), sondern als eigenständige Leistung in ihnen sind ästhetische Gegenstände sozial konstituiert. Ihre sozialgeschichtliche Funktion erhellt sich

(38) Mattenklott: Melancholie..., S. 48.
(39) Bürger: Sämmtliche Werke 2, S. 99.
(40) Schubart: Gedichte, S. 225.

erst, wenn man keine Reduktion auf eine lediglich von der 'Basis' her konstruierte Gesellschaft versucht; denn reduktive Verfahren implizieren — ob eingestanden oder nicht — die Überflüssigkeit des reduzierten Objekts."[41]

Melancholie also erscheint als typische Signatur des Bürgertums im 18. Jahrhundert: Korrelat seiner Absperrung, Ausschließung, Isolation von jeder politischen Tätigkeit (und mit Introversion, Eskapismus, Weltflucht verschwistert).[42] Ihren Ausdruck findet sie im Trauerspiel, welcher Bezeichnung damit ein tieferer Sinn zukommt; es ist „nicht so sehr das Spiel, das traurig macht, als jenes, über dem die Trauer ihr Genügen findet: Spiel vor Traurigen."[43] Als ästhetische an Stelle politischer Praxis und derart deren andere Form trägt es, so wurde gesagt, das Stigma solch erzwungenen Verzichts. Wenn aber der Sturm und Drang wirklich auch an sich selber scheiterte, wäre dieser Verzicht weniger erzwungen denn freiwillig, wäre Melancholie als Korrelat weniger Folge denn Ursache des Scheiterns,

„würde die Reihenfolge von Sturm und Drang und Resignation auf den Kopf gestellt erscheinen, so nämlich, daß das Verstummen der Genies zum Ende der siebziger Jahre Rückkehr in den Ort ihres Aufbruchs bedeutete; Fortschritt indessen dennoch, weil das, was in der stets schon zugrunde und damit auch voraus liegenden Schwermut latent war, in der Dramatik zum Erscheinen kam. Die Widerstände gegen den programmatisch vertretenen Vitalismus wären dann nicht sofort in der rauhen Wirklichkeit der absolutistisch regierten deutschen Staaten zu suchen, die sich gegen seine Realisierung sperrten, sondern in der Schwermut, die — als sein konstituierendes Moment — dem vitalen Protest stets schon zugrunde lag."[44]

Auf diese Weise hat Gert Mattenklott in seinem gewiß wohlfundierten und scharfsinnigen Buch (das freilich allzusehr, bis zum Epigonalen, der Faszination des Benjaminschen Denk- und Sprachgestus erliegt) die Melancholie als Bewußtsein der Vergeblichkeit, des Mißlingens und Nicht-Gelingen-Könnens apriorisch gesetzt, damit auch den Trauerspielen, damit doch der in die ästhetische verschobenen politischen Praxis jede Wirkungsabsicht abgesprochen. Nur deshalb hießen sie so, „weil ihre Resultate je schon voraus liegen und jede ihrer Stufen motivieren."[45] Gespielt würden sie vor einer „Trauergemeinde [...], als welche das ossianische Zeitalter sich darstellt"[46], und zwar im Grunde auch von dieser selbst, die, gänzlich literarischen Wesens, „sich — statt die Wirklichkeit zu verändern — dem Theater zuwandte, um dort experimentierend die Sinnlosigkeit solcher Veränderungen zu demonstrieren"[47]. Wird aber Melancholie derart zur Ursache statt Folge politischer Ohnmacht erklärt, bleibt die

---

(41) Schlaffer: Der Bürger als Held, S. 154 f.
(42) Lepenies: Melancholie und Gesellschaft, S. 76—114, 197—201; Pascal: Der Sturm und Drang, S. 358, 365.
(43) Benjamin: Ursprung des deutschen Trauerspiels, S. 124.
(44) Mattenklott: Melancholie . . . , S. 47.
(45) Mattenklott: Melancholie . . . , S. 49.
(46) Mattenklott: Melancholie . . . , S. 41.
(47) Mattenklott: Melancholie . . . , S. 57; ebenso S. 47.

Frage unbeantwortet, was sie wiederum, welches Sein solches Bewußtsein verursachte. Hier macht sich, im ungebrochenen Banne von Benjamins Untersuchung des Barocktrauerspiels, ein Defizit an Sozialgeschichte als historischer Sozialpsychologie bemerkbar, welche die Bewußtseinslage des 18. Jahrhunderts zu begründen und von der des 17. zu unterscheiden hätte.

Dessenungeachtet vermag Melancholie einiges zur Deutung des Sturm und Drang und seiner Produktionen; verstand sich dieser doch als Geniezeit, ganz wie jene, Trübsinn und Tiefsinn ineinssetzend, seit der Antike, besonders aber seit der Renaissance[48] als typische Signatur des Genies sich begriff. Noch Lavater, ein Initiator der Bewegung, nennt sie (was freilich der Umkehrthese ins Konzept paßt) „Mutter der Genialität"[49]. Und kaum zufällig hat derselbe Young mit den ‚Night Thoughts' (nochmals: Evchens Lektüre!) die melancholische, mit den ‚Conjectures on Original Composition' die geniale Seite des Zeitalters erhellt und geprägt — wohlgemerkt zwei Seiten derselben Münze. Und daß derart, bis in Wagners Drama hinein, England als literarisches Quellgebiet der Melancholie bewußt bleibt, darf nicht darüber hinwegtäuschen, daß sie in Deutschland einem Funktionswechsel unterliegt: eine Reaktion des Bürgertums dort auf die von seinem Aufstieg zu politischer und sozialer Macht erzwungene Askese, hier auf seine politische und soziale Ohnmacht selber.[50] Hat es mit dieser Ohnmacht erst einmal sich abgefunden, ist die literarische Darstellung des Leidens nicht länger Appell zu dessen Abschaffung, sondern Anlaß zu bloßem Mitleid, zu empfindsamer Rührung.[51]

Doch noch weiter läßt sich die Melancholiekonzeption auf Wagners Drama hin konkretisieren (das hier nie, mochte es auch anders erscheinen, aus dem Blick geriet); läßt sich von ihr aus, seiner Formanalyse noch vorgreifend, ein vorläufiges Licht werfen auf zwei ihr in besonderer Weise zugehörige Kategorien: den Raum und die Sprache. Zum einen nämlich erweist sich Melancholie als an bestimmte Räume gebunden, entfaltet sie sich im Intérieur[52]; was mit der Tatsache zusammengedacht werden will, daß das ganze Stück in geschlossenen Räumen sich abspielt, die dazu noch demonstrativ nach außen abgedichtet werden — „Fr. Humbrecht macht eben, wie der Vorhang aufgezogen wird, das Fenster zu" (45). Auch das Requisit des melancholischen Intérieurs, der Spiegel als Symbol der hypertrophierten Selbstreflexion, des vom Außen aufs Innen zurückgeworfenen Ichs, blinkt kurz im Drama auf. Zum anderen sind es die auch in der ‚Kindermörderin' allenthalben feststellbaren Sprachfiguren, die hier in ein neues Licht treten. Die den Geniestücken überhaupt eignende Sprachzerstückelung erscheint bei Benjamin, wie auch die allegorische, als melancholisches Phänomen. „Dergestalt wird die Sprache zerbrochen, um in ihren Bruchstücken sich einen veränderten und gesteigerten Ausdruck zu leihen."[53]

---

(48) Mattenklott: Melancholie . . . , S. 43—46.
(49) Zit. nach Mattenklott: Melancholie . . ., S. 46.
(50) Szondi: Die Theorie des bürgerlichen Trauerspiels . . ., S. 146 f.
(51) Szondi: Die Theorie des bürgerlichen Trauerspiels . . ., S. 167.
(52) Lepenies: Melancholie und Gesellschaft, S. 132 ff.
(53) Benjamin: Ursprung des deutschen Trauerspiels, S. 234.

Vollends gehört die ohnmächtige Sprachlosigkeit der Figuren in diesen Umkreis: „Es ist in aller Trauer der Hang zur Sprachlosigkeit und das ist unendlich viel mehr als Unfähigkeit oder Unlust zur Mitteilung."[54] „Innerhalb der Sprache ist Melancholie wahrhaft anwesend nur im Modus des Schweigens."[55] — Ein letzter, vorbereitender Hinweis: die Raserei des Melancholikers, auf die Spitze getriebener Ausdruck eben seiner Sprachlosigkeit (darüber mehr anhand der hierfür paradigmatischen Mordszene), diese Raserei ist der Melancholie somit keinesfalls zufällig zugeordnet, sondern vielmehr, als deren Umkippen ins Negative, aufs engste verschwistert. Zur Zerstreuung des Trübsinns ist von jeher das Amüsement empfohlen worden; seinen Wert sieht eine tiefe, bezeichnend doppeldeutige Stelle bei Lenz darin, „daß man nicht niedergeschlagen oder wild wird"[56].

Auch die Behauptung, Melancholie sei Bewußtseinsreflex der bürgerlichen Ohnmacht im Deutschland des 18. Jahrhunderts — auch sie läßt sich an Wagners Drama demonstrieren:

Fr. Humbrecht. Schon wieder ein Seufzer! — hast du mir nicht so eben versprochen, das ewige Geächz und Gekrächz zu unterlassen? bist mir ein rechter Mann von Parole!
Evchen. O wenn ich ein Mann wäre!
Fr. Humbrecht. Was wärs?
Evchen. Noch heute macht ich mich auf den Weg nach Amerika, und hälf für die Freyheit streiten. (46)

Hier, und das scheint die einzige Erklärung des sonst funktionslosen Motivs, blitzt unvermutet der gesellschaftliche Grund von Melancholie auf: die erzwungene politische Untätigkeit, die sich nach ihrem Gegenteil sehnt und es in der Ferne zu finden hofft, in Amerika, das um seine Unabhängigkeit und Freiheit kämpft und dadurch für die europäischen Zeitgenossen „zum Land der vollendeten Utopie aufsteigt"[57]. Dort wurde getan, was sie hier, mit endlich resignativer Note, nur gedacht und gedichtet hatten. „Amerika, der Freistaat der unbegrenzten Möglichkeiten, erhielt so den Glanz einer rousseauistischen Idylle, wie sie strahlender kaum gedacht werden kann."[58] Im selben Jahre 1776, als Wagners Drama erschien, schrieb Schubart: „Kann man unter diesen Umständen wohl was bessers tun, als wegschlüpfen über unsre entartete Halbkugel, und sehen, was auf der andern Hälfte vorgeht! Dort gibts doch noch Menschen, die's fühlen, daß ihre Bestimmung nicht Sklaverei sei, die mit edlem Unmute das Joch eines herrschsüchtigen Ministeriums vom Nacken schütteln, und diesen Volkspeinigern bald zeigen werden, daß man ohne sie leben könne."[59] Das ist ein oppositioneller Ton, wie er auch in den Worten Evchens anklingt; denn

(54) Benjamin: Ursprung des deutschen Trauerspiels, S. 254.
(55) Mattenklott: Melancholie..., S. 70.
(56) Lenz: Briefe eines jungen L-..., S. 325.
(57) Hermand: Von deutscher Republik, S. 14 (Bd. 1).
(58) Hermand: Von deutscher Republik, S. 14 (Bd. 1); ebenso S. 37—50 und: Pascal: Der Sturm und Drang, S. 67, 68.
(59) Zit. nach Hermand: Von deutscher Republik, S. 37 (Bd. 1).

wofür gestritten werden soll, ist die Sache der Freiheit und das genaue Gegenteil von dem, was deutsche Fürsten damals unterstützten: vor allem unterstützten mit dem Verkauf ihrer Landeskinder an die Engländer, als Kanonenfutter[60] — Schillers ‚Kabale und Liebe' hat den Menschenhandel ja verewigt. Evchens (und so Wagners) Zeugnis wiegt kaum minder schwer; Szenenbeifall dürfte ihm gewiß gewesen sein, von einem Publikum, das wie sie die Aufhebung der melancholischen Ohnmacht ersehnte. Der Autor hat ihm einen Spiegel ins Drama gesetzt.

(60) Bruford: Germany in the Eighteenth Century, S. 38 f.

5. Methodischer Fortschritt

Die Gesellschaft in der Form des Werks

> lese eine arbeit über gorki und mich, von
> einer arbeiterstudentin in leipzig verfaßt. ideo-
> logie, ideologie, ideologie. nirgends ein ästhe-
> tischer begriff; das ganze ähnelt der be-
> schreibung einer speise, bei der nichts über
> den geschmack vorkommt.
>
> Bertolt Brecht[1]

An dieser Stelle ist es angezeigt, im Gang der Untersuchung einzuhalten und,
zurück- wie vorausschauend, sich seiner nochmals zu vergewissern: eingedenk
des gleichermaßen auf Gegenstand und Methode gerichteten Interesses, der er-
klärten Absicht, auch diese an jenem erst zu entwickeln und zu entfalten.
Realisierte sich also Literatursoziologie bisher dadurch, daß zunächst das Werk
in der Gesellschaft, weiter aber die Gesellschaft im Werk betrachtet wurde:
dann muß dieser letztere Aspekt hier neuerdings, und zwar auf das nun letzte,
eigentliche Ziel der Untersuchung hin, differenziert als auch konkretisiert werden. Denn ihr geht es nun nicht länger darum, die Gesellschaftlichkeit des
Werk-Inhalts aufzuzeigen; die liegt, bei einem sozialen Drama wie dem Wagners, ohnehin auf der Hand. „Unter den Vermittlungen von Kunst und Gesellschaft ist die stoffliche, die Behandlung offen oder verhüllt gesellschaftlicher
Gegenstände, die oberflächlichste und trügerischste."[2] Vielmehr geht es um die
Gesellschaftlichkeit der Werk-Form, einen freilich weitaus indirekteren, ver-
mittelteren Kausalnexus. „Gesellschaftlich entscheidet an den Kunstwerken,
was an Inhalt aus ihren Formstrukturen spricht."[3] Auf diese kommt es demnach
besonders an; darauf, zu zeigen, wie die von Adorno immer wieder themati-
sierte Immanenz der Gesellschaft im Werk, recht und authentisch verstanden,
erst eigentlich in dessen Form sich findet. Wobei zu ihr, der Form, all das zu
zählen ist, was den ideellen Inhalt — hier: den Konflikt zwischen heraufdrin-
gendem Bürgertum und davon hinabgedrängtem, gleichwohl beharrendem
Adel — zum Ausdruck, auf die Bühne bringt und in Szene setzt: Handlung,
Ort, Personen, Sprache, also alle Formelemente des Dramas wie auch dieses,
als Form, selber.

Solche Zerlegung der Form ist, das wurde vorab schon gesagt, nur heuristi-
schen Wesens und insofern äußerst problematisch; nicht minder jedoch die des
Dramas in Form und Inhalt überhaupt. Im Grunde erfassen jene Kategorien

---

(1) Brecht: Arbeitsjournal 2, S. 929.
(2) Adorno: Ästhetische Theorie, S. 341.
(3) Adorno: Ästhetische Theorie, S. 342.

den Inhalt des dramatischen Geschehens, aber einen geformten; zumal dieses ja nicht Realität ist, sondern deren Umformung in Fiktion. So wird die theoretisch bereits unglaubhafte Dichotomie, die „fragwürdige Trennung von Form und Inhalt"[4], von der Interpretation nach Kategorien praktisch noch einmal diskreditiert werden, da sich die Frage danach, wie etwas erscheint, nur abhängig davon beantworten läßt, was erscheint. Form setzt also Inhalt voraus — und ist ihm selbst doch wieder vorausgesetzt, indem sie seine Rezeption durch Autor und Publikum zeittypisch präformiert: Welt wird schon als Drama von jenem erfahren, von diesem erwartet. Form und Inhalt sind demnach nur dialektisch begreifbar; wechselseitig sich verändernd, heben sie endlich einander auf im Werk.

Daß Form etwas Soziales, respektive Soziologisches sei, wurde kaum je bedacht, obgleich es sich doch von selbst zu verstehen scheint; le style c'est l'homme, dieses geflügelte Wort und das andere, welches den Menschen ein ens sociale nennt, ließen sich daraufhin zu einem subtilen Syllogismus zusammenfügen. Die literarischen, ja sämtliche künstlerischen Figurationen, in denen — möglicherweise sogar gleiche — Substanzen sich darstellen, stehen und fallen mit den gesellschaftlichen, gehen auf und unter, treten vor und zurück, wenn auch nicht notwendigerweise mit ihnen simultan; bei allem Respekt vor der Basis hat doch die materialistische Theorie dem Überbau seit je das Vorhandensein von Verspätungen und Verfrühungen, Eigenbewegungen, Wechsel- und Rückwirkungen zugestanden.[5]

„Eine weitere Aufgabe besteht in der Untersuchung literarischer Formen. [...] Die epische wie die lyrische Dichtung, das Drama wie der Roman stehen in einem ganz eigentümlichen Beziehungsverhältnis zu dem besonderen gesellschaftlichen Schicksal der Menschen."[6] „Zu bestimmten Zeiten sind nur bestimmte Lebensauffassungen möglich, und wenn auch die Literatursoziologie sich nicht damit beschäftigen kann, was es ist, das diese Lebensauffassungen, diese Weltanschauungen erzeugt, so stellt sie doch fest: bestimmte Weltanschauungen bringen bestimmte Formen mit, ermöglichen sie, schließen andere genauso von vornherein aus."[7]

Und diese Formen, derart historisiert sowie in der je historischen Bewußtseinslage fundiert — sie, und nicht erstlich die Inhalte, sind die Immanenz der Gesellschaft in eben dem Werk, die Art und Weise, wie diese in ihm, offen oder eher versteckt, sich niederschlägt.

„Die größten Fehler der soziologischen Kunstbetrachtung sind, daß sie in den künstlerischen Schöpfungen die Inhalte sucht und untersucht und zwischen ihnen und bestimmten wirtschaftlichen Verhältnissen eine gerade Linie ziehen will. Das wirklich Soziale aber in der Literatur ist: die Form."[8]

---

(4) Schröder: Gotthold Ephraim Lessing, S. 9.
(5) Conrady: Über 'Sturm und Drang'-Gedichte Goethes, S. 129 f.
(6) Löwenthal: Literatur und Gesellschaft, S. 245.
(7) Lukács: Vorwort zu ‚Entwicklungsgeschichte des modernen Dramas', S. 73.
(8) Lukács: Vorwort zu ‚Entwicklungsgeschichte des modernen Dramas', S. 71; ebenso: Goldmann: Soziologie des modernen Romans, S. 25; Szondi: Die Theorie des bürgerlichen Trauerspiels..., S. 187.

Jene Fehler sind bis zur Stunde allzu oft begangen, dieser letzte, wahrhaft radikale Satz des frühen Lukács, seine Absicht, „das Hauptproblem einer Soziologie der literarischen Formen klarzulegen"[9], ist allzu selten eingelöst worden. Wo doch fast gleichzeitig mit ihm, und das ist schon ein Menschenalter her, der Kunsthistoriker Wilhelm Hausenstein eine fast gleichlautende Forderung aufstellte: „Ein erst wenig angebautes Gebiet ist die Sozialästhetik. Es ist aber an der Zeit, daß man in ihre Probleme eindringe."[10] Er ging dabei zunächst aus von der fundamentalen Behauptung,

„daß die einzelnen Stile die sozialen Motoren merken lassen, von denen sie hervorgetrieben worden sind"[11], „daß spezifische künstlerische Kulturen von spezifischen sozialen Kulturen ästhetisch abhängig sind, daß die sozialkulturellen Potenzen in die künstlerischen Physiognomien der Zeiten hineinwirken und so selber zum Teilproblem der Ästhetik werden. Aber nun erhebt sich eine neue Frage: Wie weit wirkt die stilbildende oder stilauflösende Macht der gesellschaftlichen Organisation ins einzelne eines Zeitstils hinein?"[12]

Auch diese Frage ist allzu selten beantwortet worden, und es finden sich nur wenige, meist aber allzu direkte und kurzschlüssige Versuche, Gesellschafts- und Kunstform, Soziologie und Ästhetik aufeinander zu beziehen[13]; beide unter dem Aspekt einer strukturellen Homologie gesehen zu haben, macht das unübertroffene Verdienst Lucien Goldmanns[14] aus. Doch gerade durch Fortführung und Verfeinerung dessen ließe sich das Vorurteil entkräften, solche Wissenschaft käme der Literatur nicht bei, da sie alles bloß als sozialgeschichtliches Dokument läse, ohne Unterschied des Kunstwerts, ja ohne diesen überhaupt zu erkennen und gar mit ihm etwas anfangen oder etwas anderes in ihm sehen zu können denn eine subjektive Verzerrung der Realität. „Literatursoziologie, gerade auch ideologiekritische, wird sich mehr einfallen lassen müssen, will sie dem ästhetischen Phänomen gerecht werden."[15] Dies von Erich Köhler, einem prominenten Vertreter der hier zu skizzierenden Methode; sie nämlich müsse, so hat Hans Mayer als zweiter verlangt, die Werke „vor einem Mißbrauch bewahren, der sie zu Illustrationsobjekten für das soziologische oder historische Seminar degradiert. Modell: An ‚Kabale und Liebe' kann man die Konflikte zwischen Feudalismus und bürgerlicher Misere studieren. Freilich, aber braucht man dazu den jungen Schiller? [...] Werke der Literatur sind nicht Illustrationsobjekte, auch wenn mancher solches Verfahren für 'Literatursoziologie' hält. Sie sind eigenen Gesetzes und wollen ernst genommen werden. Wer das verweigert, soll auf den Umgang verzichten."[16] Wenn sie nämlich nichts ande-

---

(9) Lukács: Zur Soziologie des modernen Dramas, S. 261.
(10) Hausenstein: Gedanken zu einer 'Soziologie des Stils', S. 246.
(11) Hausenstein: Gedanken zu einer 'Soziologie des Stils', S. 250.
(12) Hausenstein: Gedanken zu einer 'Soziologie des Stils', S. 252.
(13) Simmel: Soziologische Ästhetik; Balet/Gerhard: Die Verbürgerlichung der deutschen Kunst . . .; Schirokauer: Bedeutungswandel des Romans; Hauser: Sozialgeschichte der Kunst und Literatur.
(14) Goldmann: Soziologie des modernen Romans, S. 26—31.
(15) Köhler: Esprit und arkadische Freiheit, S. 7.

res wären als der noch dazu entstellte Ausdruck sozialer Erscheinungen, dann wäre zu fragen, warum eben diese sozialen Erscheinungen, die an und für sich und unabhängig von der Kunst existieren, in ihr noch einmal dargestellt werden müssen, und zwar in einer Form, die eine Verkleidung jenes Sozialen ist und sein Wesen sowohl verdeckt — als auch aufdeckt.

Das letzte Wort birgt die Lösung des Problems: nicht also, daß hier die Soziologie unter anderem auch in der Literatur nach Belegmaterial fahndete, und zwar in ihren Inhalten als einer leider verformten Realität, sondern das in diesen Verformungen selber, eben den literarischen Formen, und nur in ihnen aufgehobene soziale Moment gilt es aufzuspüren — diese demnach begreifend als etwas, das jene Realität erst zur Kenntlichkeit entstellt. Die soziologische (in mancher Terminologie auch: materialistische) Methode, wie sie hier verstanden wird, „leugnet nicht im mindesten die ästhetische Qualität ihres Gegenstandes. Sie versucht nur, diese ästhetische Qualität bis ins letzte technische Detail als vermittelt mit dem gesamtgesellschaftlichen Prozeß zu erkennen"[17]. Und das heißt genauer, um es nach all dem erneut zu verdeutlichen, daß sie an kaum etwas anderem interessiert ist als an dieser Qualität, der spezifischen Eigenart des Kunstwerks, seiner Form; auch weil darin das Soziale unbewußter, unkontrollierter, unkontrollierbarer sich durchsetzt denn im Inhalt; weil es über den Kopf des Dichters hinweg bedeutender ins Wie des Gedichteten eingeht denn in dessen Was.

„Denn der ästhetische Organismus intendiert gleich dem philosophischen System eine den Trägern der zivilisierten Gesellschaft selber verschleierte Totalität, die in irgendeiner Weise die erfahrene ganze Wirklichkeit entstellt und so den Blick auf sie eröffnet; der Art allein, in der jene Befunde zur ästhetischen Totalität sich fügen, kann darum das mit ihnen Gemeinte entnommen werden."[18]

Noch einmal: abzusagen ist einer (mit Fug und Recht vulgär genannten) Literatursoziologie, die, wenn sie überhaupt vom Werk als gesellschaftlich bewirkendem zu ihm als gesellschaftlich bewirktem vorstößt, dann doch noch an der Oberfläche bleibt und das Zentrum verfehlt. Statt dessen muß sie sich die Ergebnisse der bisher literaturadäquatesten, nämlich der werkimmanenten Methode aneignen, um sie soziologisch weiterzudenken; und unter diesem Blickwinkel wäre dann die von ihr aus erhobene Forderung neu zu lesen, daß Literaturwissenschaft monographisch vorgehen solle, und „daß solche neuen Einzelansichten der Werke [...] auf neues Studium des Formcharakters gegründet sein müssen, daß unser Interesse für eine gute Weile auf das gerichtet sein muß, was eine Dichtung als solche erst konstituiert, worin sie über alle vor- und außerdichterisch möglichen Gehalte aufhebt"[19]. Abzusagen ist aber auch einem Verfahren, welches das Soziale zu direkt mit dem Formalen zusammen-

---

(16) Mayer: Goethe vor uns, wir vor Goethe, S. 18.
(17) Gansberg: Zu einigen populären Vorurteilen ..., S. 21.
(18) Kracauer: Der Detektiv-Roman, S. 116.
(19) May: Beitrag zur Phänomenologie des Dramas ..., S. 261.

bringt, ohne das relative Eigenleben, die relative Eigengesetzlichkeit des letzteren zu bedenken:

„wegen dieses kurzen Wegs zwischen Kunstwerk und Sozialgeschichte enttäuschen die meisten literatursoziologischen und materialistischen Interpretationen. Sie finden im Ästhetischen das Gesellschaftliche unvermittelt wieder, verfallen also einem Vorurteil. In Wirklichkeit gehen die gesellschaftlichen Konflikte, die historischen Bedingungen auf eine solche Weise ins Kunstwerk ein, daß sie gerade für eine unmittelbare soziologisch-historische Analyse unsichtbar werden (die sich dann an der ‘progressiven’ oder ‘reaktionären’ Gesinnung des Inhalts schadlos hält). Die Interpretation darf nicht übersehen, daß diese Konflikte sich gerade nicht gesellschaftstheoretisch und -kritisch darstellen, sondern literarisch, ästhetisch. Sie müssen sich ästhetisch strukturieren, in Reflexion und Imagination umsetzen, d. h. literaturwissenschaftlich exakter gefaßt: sie müssen die Systemgesetze der literarischen Formen und Traditionen respektieren, auch wenn diese zugunsten neuer historischer Intentionen verändert werden sollen. Nur so verfällt die Interpretation nicht dem Trugschluß der Unmittelbarkeit, der konventionelle und fiktive Elemente naiv als Abbild irgendwelcher Wirklichkeit liest. Die Vergewisserung über den Traditions- und Fiktionsbestand von Literatur ist notwendig, um auf diesem Hintergrund Relevanz und Tendenz historischer Abweichungen deuten zu können.“[20]

Da also das Soziale nicht zu immer neuen Formen findet, vielmehr sich der alten bedient, die es gleichwohl auswählt und verändert — daher muß die Untersuchung ihrer monographischen Absicht insofern untreu werden, als sie ihren Gegenstand fortwährend mit Früherem und Gleichzeitigem (auch Späterem) vergleicht; nicht schon die Frage, wie das Drama ist, sondern erst die, worin es anders ist, kommt den gesellschaftlichen Momenten, den Veränderungen der sozioökonomischen Basis auf die Spur. Denn diese „vermögen den bereits vorhandenen Bestand an literarischen Formen, Themen und Motiven [...] erst dann zu sprengen, wenn sie den Charakter eines geschichtlichen Umbruchs tragen. An solchen Wendepunkten der Geschichte brechen die Impulse des Unterbaus sichtbar durch die traditionell und ideologisch verfestigten Formen, Stile und Wertbegriffe der Literatur.“[21] Daß der Sturm und Drang einen derartigen Wendepunkt darstellt, dürfte bis hierher deutlich geworden sein.

Geboten ist demnach, um nun die Theorie in Praxis, die Postulate in Resultate wiederum aufzulösen, die Versenkung ins Werk selber, als einer Struktur; und erst dort läßt sich auch das Urteil über seinen Wert fällen, über seinen Stellenwert im sozialen wie ästhetischen Prozeß der Historie.

„Die Parteiischkeit, welche die Tugend von Kunstwerken nicht weniger als von Menschen ist, lebt in der Tiefe, in der gesellschaftliche Antinomien zur Dialektik der Formen werden: indem Künstler ihnen durch die Synthesis des Gebildes zur Sprache verhelfen, tun sie gesellschaftlich das Ihre.“[22]

Solche sozialhistorische Begründung ästhetischer Phänomene, wie sie als Möglichkeit und Notwendigkeit alles hier Gesagte konstituiert, bietet zugleich der

---

(20) Schlaffer: Der Bürger als Held, S. 150 f.
(21) Köhler: Über die Möglichkeiten ..., S. 230.
(22) Adorno: Ästhetische Theorie, S. 345.

Kritik an Volker Klotz („Geschlossene und offene Form im Drama') den Ausgangspunkt. Wohl hat er, was die vorliegende Untersuchung dankbar wird zu nutzen wissen, die formalen Kategorien gerade des offenen Dramas musterhaft analysiert; doch hat er sie in einer Überzeitlichkeit, Zeitlosigkeit belassen, welchen Mangel auch „Vorläufige Anmerkungen zum historischen Vorkommen der beiden Stiltendenzen"[23] nur unvollkommen bemänteln können — obgleich sie ja von einer Erkenntnis dieses Mangels zeugen. Klotz bleibt so hinter seinem eigenen Material zurück, das er aus recht eng begrenzten Zeiträumen bezieht und das ihm die Frage hätte stellen müssen, wie diese Zeitgebundenheit der Form zu erklären sei. Zurück bleibt er ebenfalls hinter seiner eigenen Bemerkung: „der Gestaltung des dramatischen Stoffes in geschlossener oder offener Form entspricht eine bestimmte Weltsicht, eine bestimmte Weise der Wirklichkeitsrezeption"[24]; was aber, so wäre hier mit Bezug auf Lukács zu fragen, bringt zu gewissen Zeiten eben dieselbe Weltsicht und Wirklichkeitsrezeption (und welche?) als eine kollektive hervor? Darauf wird zu antworten sein; und so bedient sich diese Untersuchung, wie schon angekündigt, der Klotzschen Kategorien, zumal sie an Wagners Drama nicht gewonnen und nie angewandt wurden — allerdings nur der erfüllbaren, denn das offene Drama ist, in Max Webers Sinn, lediglich ein Idealtypus, der nirgendwo rein sich realisiert[25]; und sie versucht, durch alle komplizierten Vermittlungsprozesse (via Weltsicht, Wirklichkeitsrezeption) hindurch sowie der Eigenart des Ästhetischen eingedenk, jene formalen Kategorien in sozialen, sozialgeschichtlichen dingfest zu machen.

(23) Klotz: Geschlossene und offene Form . . ., S. 223.
(24) Klotz: Geschlossene und offene Form . . ., S. 14 f.
(25) Klotz: Geschlossene und offene Form . . ., S. 15.

6. Vorverständigung über das Drama des Sturm und Drang

> Die Welt, die durch das Theater wieder-
> gegeben werden kann, ist die Gesellschaft,
> kann nur die Gesellschaft sein.
>
> Friedrich Dürrenmatt[1]

Die Frage, in welche der literarischen Gattungen am ehesten die soziale und historische Realität als Totalität einzugehen vermöge, hat Friedrich Schlegel zugunsten des Romans beantwortet: nur er könne „gleich dem Epos ein Spiegel der ganzen umgebenden Welt, ein Bild des Zeitalters werden"[2]. Die Lyrik wird ihm den Rang nicht streitig machen; eher schon das Drama. Nicht nur, daß dieses seine Figuren immer nur als Protagonisten und Antagonisten, in Wechselwirkung mit anderen, derart in konkreten zwischenmenschlichen, sozialen Interaktionen darstellen muß: es ist auch als einzige Gattung auf kollektive Rezeption angelegt. Statt des vielzitierten Lesers im stillen Kämmerlein ist stets ein Publikum sein Adressat (überdies auch ein Ensemble sein unmittelbarer Produzent); seine eigentliche Existenzweise ist die öffentliche Aufführung. In diesem Sinne kann das Drama daher als an sich gesellschaftlichste Form der Literatur gelten, und daher wird die Literatursoziologie ihm — eben als einer Form — besonderes Interesse zu widmen haben.

Kaum eine Epoche war sich über den gesellschaftlichen Charakter des Dramas mehr im klaren als die des Sturm und Drang; kaum eine hat sich seiner bewußter bedient.[3] Die dramatischen Produktionen dieser Zeit sind gedacht als politische Tendenz- und Lehrstücke (nicht zufällig klingt hier ein Brechtscher Begriff an); ihre Funktion, genauer: die des bürgerlichen Trauerspiels, heißt häufig genug Forum, Gericht und Waffe.

Wie jedes politische Theater[4] sollte das des Sturm und Drang erzieherische Wirksamkeit entfalten[5]; sollte, als realistisches, über Erkenntnis der Realität zu deren Kritik und Veränderung führen[6]; es war „das Psychodrama des gesunden Bürgertums"[7].

---

(1) Dürrenmatt: Standortbestimmung zu ‚Frank V.', S. 184.
(2) Schlegel: Athenäums-Fragmente, S. 182.
(3) Kollektiv für Literaturgeschichte: Erläuterungen zur deutschen Literatur, S. 20.
(4) Melchinger: Geschichte des politischen Theaters, S. 8, 17, 414, 415.
(5) Genton: Lenz — Klinger — Wagner, S. 109—140; Szondi: Die Theorie des bürgerlichen Trauerspiels . . ., S. 47.
(6) Lukács: Zur Soziologie des modernen Dramas, S. 265; Hauser: Sozialgeschichte der Kunst und Literatur, S. 599, 600 f., 604; Zorn: Die Motive der Sturm- und Drang-Dramatiker, S. 7 f.; Bruford: Germany in the Eighteenth Century, S. 318; Bruford: Theatre, Drama and Audience in Goethe's Germany, S. 189 f., 193; Mayer: Lenz oder die Alternative, S. 800, 814; Rühmann: ‚Die Soldaten' von Lenz, S. 137.
(7) Löwenthal: Erzählkunst und Gesellschaft, S. 56.

48

„Es ist vielleicht das höchste Verdienst der Poesie, insonderheit des Drama, Stände und Charaktere aller Art (wenn mir das niedrige Gleichniß erlaubt ist) an dem feinsten Spieß, aufs langsamste am Feuer eigner Thorheiten, Neigungen und Leidenschaften umzuwenden. In der Seele des Zuschauers werden diese Stände dadurch gahr, oder, mit einem edleren Ausdruck, geründet."[8]

So bezeugt es Herder, und nicht anders Lenz:

„Doch bitte ich Sie sehr, zu bedenken, gnädige Frau! daß mein Publikum das ganze Volck ist; daß ich den Pöbel so wenig ausschließen kann, als Personen von Geschmack und Erziehung, und daß der gemeine Mann mit der Häßlichkeit feiner Regungen des Lasters, nicht so bekannt ist, sondern ihm anschaulich gemacht werden muß, wo sie hinausführen. Auch sind dergleichen Sachen wirklich in der Natur; leider können sie nur in der Vorstellung nicht gefallen, und sollen's auch nicht. Ich will aber nichts, als dem Verderbniß der Sitten entgegen arbeiten, das von den glänzenden zu den niedrigen Ständen hinab schleicht, und wogegen diese die Hülfsmittel nicht haben können, als jene."[9]

Daß diese Absicht auch an ihr Ziel gelangte, belegt die Reaktion Anton Reisers, des autobiographischen alter ego von Karl Philipp Moritz, auf Klingers ‚Zwillinge':

„Dies schreckliche Stück machte eine außerordentliche Wirkung auf Reisern — es griff gleichsam in alle seine Empfindungen ein. — Guelfo glaubte sich von der Wiege an unterdrückt — das glaubte er von sich auch — ihm fielen dabei alle die Demütigungen und Kränkungen ein, denen er von seiner frühsten Kindheit an, fast solange er denken konnte, beständig ausgesetzt worden war."[10]

Dem pädagogischen Prinzip haben, was hier nur angedeutet werden kann, sämtliche Autoren sich verpflichtet gefühlt, von Diderot[11] bis Schiller[12] (allein Goethe hat sich später davon distanziert[13]). Auch Wagner gehört dazu; seine Rechtfertigung der ‚Kindermörderin' beruft sich ausdrücklich auf „den überall durchscheinenden hohen moralischen Zweck"[14]. Offenkundig erhoffte er sich von diesem Drama dieselbe Wirkung wie Herder von Lessings ‚Emilia Galotti':

„Ich kann mir nicht einbilden, daß wenn Stücke dieser Art, (aber auch keine andre als solche) wöchentlich nur Einmal, auf die leidlich-vollkommenste Weise gegeben würden, und diese Stücke lauter Stände und Situationen unsrer Welt, wie dieses, enthielten, das Publicum ungebildet, unerleuchtet bleiben könnte."[15]

---

(8) Herder: Briefe zur Beförderung der Humanität, S. 184 (Bd. 17).
(9) Briefe von und an J. M. R. Lenz, S. 115 f.
(10) Moritz: Anton Reiser, S. 343.
(11) Diderot: Von der dramatischen Dichtkunst, S. 250 f., 308; Diderot: Dorval und ich, S. 220.
(12) Schiller: Was kann eine gute stehende Schaubühne eigentlich wirken?, S. 826 f., 827; Schiller: Über das gegenwärtige teutsche Theater, S. 812 f.
(13) Goethe: Deutsches Theater, S. 592 f.
(14) Wagner/Fechner: Die Kindermörderin, S. 137 f.
(15) Herder: Briefe zur Beförderung der Humanität, S. 182 (Bd. 17).

(Was speziell den Kindesmord betrifft, so wurde freilich in einer preisgekrönten Antwort auf die öffentliche Preisfrage, wie er zu verhüten sei, seinen dramatischen Behandlungen jeglicher Wert abgesprochen: „sie sind zur Verbesserung der Sitten ein ebenso lächerliches Hülfsmittel, als es gegen die Achtung, die man dem Publikum und besonders dem schönen Teil desselben schuldig ist, unbesonnene Beleidigung bleibt"[16].)

Wie erinnerlich, übte Wagner, übten viele seiner Zeitgenossen den Beruf des Literaten zugleich mit dem des Advokaten aus: ja sogar als Literaten waren sie Advokaten, Verteidiger des Rechts gegen das allgemeine Unrecht.

„Wie mannigfaltig sind die Arten des menschlichen Elends! Wie unerschöpflich ist diese Fundgrube für den Dichter, der mehr durch sein Gewissen, als durch Eitelkeit und Eigennuz sich gedrungen fühlt, den vertaubten Nerven des Mitleids für hundert Elende, die unsere Modephilosophie mit grausamen Lächeln von sich weist, in seinen Mitbürgern wieder aufzureizen!"[17] „Die Schriftsteller sind die Sachwalter der niedergestampften Vernunft, der gekränkten Menschheit, der unterdrückten Unschuld, der entrissenen Freiheit. Sie bringen die Faustschläge der Tyrannei, die Meuchelschliche der Ränkesucht, die Schandstreiche des Fanatismus an das Licht des Tages, vor das Tribunal der Welt... Ihnen haben es die Menschen zu verdanken, daß sie Menschen sind."[18]

Zum Schluß ein Wort Schillers, das sich am Ende der Epoche noch einmal auf deren Anfang, auf ein Wort Herders[19] bezieht und diese damit als eine Einheit ausweist:

„Die Gerichtsbarkeit der Bühne fängt an, wo das Gebiet der weltlichen Gesetze sich endigt. Wenn die Gerechtigkeit für Gold verblindet und im Solde der Laster schwelgt, wenn die Frevel der Mächtigen ihrer Ohnmacht spotten und Menschenfurcht den Arm der Obrigkeit bindet, übernimmt die Schaubühne Schwert und Waage und reißt die Laster vor einen schrecklichen Richterstuhl."[20]

Daß die Bühne nun als Gericht begriffen wird, ist das Neue — und doch zugleich das Älteste; denn das bürgerliche Trauerspiel bezeugt derart seine übers barocke vermittelte Verwandtschaft mit der antiken Tragödie als seinem eigentlichen Ursprung. Diese nämlich war ihrerseits mit dem attischen Gerichtsprozeß aufs engste verschwistert[21], und ihre Form aus der seinen abgeleitet. Im Grunde bedeutet, von ihr aus gesehen, „die Einheit des Orts: die Gerichtsstätte; die Einheit der Zeit: die seit je — im Sonnenumlauf oder anders — eingegrenzte des Gerichtstags; und die Einheit der Handlung: die der Verhandlung"[22]. Es ist ein mehr als tiefsinniger Sachverhalt, daß das bürgerliche Trauerspiel des Sturm

---

(16) Zit. nach Rameckers: Der Kindesmord..., S. 85.
(17) Lenz: Zerbin..., S. 147.
(18) Zit. nach Hermand: Von deutscher Republik, S. 48 f. (Bd. 2).
(19) Herder: Briefe zur Beförderung der Humanität, S. 184 f. (Bd. 17).
(20) Schiller: Was kann eine gute stehende Schaubühne eigentlich wirken?, S. 823; dazu Koselleck: Kritik und Krise, S. 82—86.
(21) Benjamin: Ursprung des deutschen Trauerspiels, S. 121; ebenso: Benjamin: Briefe 1, S. 337f.
(22) Benjamin: Ursprung des deutschen Trauerspiels, S. 123.

und Drang, ein später Erbe der antiken Tragödie, ihren drei Einheiten die Geltung so entschieden bestritt wie es sie ihrem prozessualen Charakter wieder einräumte. Gleichwohl litten auch die streng festgelegten Formen des griechischen Gerichtsverfahrens eine Ausnahme: die sie durchbrechende ekstatische Rede, der dann besondere Überzeugungskraft zugebilligt wurde[23]; von derselben Kraft zehrt insgeheim noch der Wahnsinnsmonolog einer jeden Figur im bürgerlichen Trauerspiel, sobald sie, sich verteidigen und behaupten wollend, in die Enge getrieben ist.

„Das moderne Drama ist das Drama des Bürgertums; das moderne Drama ist das bürgerliche Drama."[24] „Das Drama, als exponierteste Kunstgattung, erscheint [...] in seiner ganzen Entwicklung als Symbol der gesamten bürgerlichen Kultur."[25] Mit größtem Gewicht gelten diese, den literatursoziologischen Ansatz nochmals begründenden Sätze für die Form, die es im Sturm und Drang vorzugsweise annimmt: die des bürgerlichen Trauerspiels. Es zeugt vom neuen Selbstbewußtsein der bürgerlichen Dramatiker, daß sie mit diesem selbstgewählten Begriff die alte Tragödie nun für ihren eigenen Stand in Besitz nahmen; und es zeugt aufs neue von ihrer pädagogischen Wirkungsabsicht. Der bisherigen Dramaturgie zufolge sollten im tragischen Schauspiel nur Personen hohen Ranges agieren dürfen (außer wenn komische Randfiguren gebraucht wurden, die die allseitige Überlegenheit der Hauptakteure erst recht herausstrichen); die so verstandene Höhenregel oder Ständeklausel ließ ihren Gegner Diderot befürchten, daß „die Nützlichkeit der Schauspiele eingeschränkt wird und sie wohl gar der Kanal werden, durch welche sich die Torheiten der Großen unter die Geringern ausbreiten"[26]. Statt dessen postulierte er ein Drama als „Gemälde der Unglücksfälle, die uns umgeben. Wie? Sie begreifen nicht, wie stark eine wirkliche Szene, wie stark wahre Kleidungen, einfache Handlungen und diesen Handlungen angemessene Reden, wie stark Gefahren auf Sie wirken würden, ob welchen Sie notwendig zittern müßten, wenn Ihre Anverwandte, Ihre Freunde oder Sie selbst ihnen ausgesetzt wären?"[27] (Und sein anschließender Themenkatalog enthält mit dem Stichwort „Furcht vor der Schande"[28] schon den Kern des Kindesmord-Motivs.) Nicht der Charakter, sondern der Stand — und zwar der dritte — wurde, weil wirkungsträchtiger, nun zum zentralen Aspekt des dramatischen Helden:

„War der Charakter nur ein wenig übertrieben, so konnte der Zuschauer zu sich selbst sagen: das bin ich nicht. Das aber kann er unmöglich leugnen, daß der Stand, den man spielt, sein Stand ist; seine Pflichten kann er unmöglich verkennen. Er muß das, was er hört, notwendig auf sich anwenden."[29]

---

(23) Benjamin: Ursprung des deutschen Trauerspiels, S. 121; ebenso: Benjamin: Briefe 1, S. 338.
(24) Lukács: Zur Soziologie des modernen Dramas, S. 262.
(25) Lukács: Zur Soziologie des modernen Dramas, S. 264.
(26) Diderot: Von der dramatischen Dichtkunst, S. 309.
(27) Diderot: Dorval und ich, S. 218.
(28) Diderot: Dorval und ich, S. 218.
(29) Diderot: Dorval und ich, S. 221.

So verdient das bürgerliche Trauerspiel seinen Namen dadurch, daß darin bürgerliche Autoren einem bürgerlichen Publikum bürgerliche Bühnenhelden (oder auch andere, dann aber unter entschieden bürgerlichem Blickwinkel[30]) vorstellen; und dadurch, daß es diesen einen tragischen Rang zuerkennt. Denn das neue Drama ist bürgerlich, und es ist Trauerspiel. Nicht länger gilt die vordem gültige Anschauung, wonach der Fall des Helden erst durch die soziale Fallhöhe zu einem tragischen werde.

„Nur Könige oder bedeutende geschichtliche Helden sollten ein bedeutendes, weltbewegendes Schicksal haben? Und in der Enge häuslicher Kreise sollte kein großes, gigantisches Schicksal sein, sondern nur niedriger Jammer und prosaisches Elend? Unbegreifliche Kurzsichtigkeit! Durchzuckt ein großer Schmerz nicht alle Teile des Körpers gleichmäßig und oft den unscheinbarsten Nerv am allermächtigsten?"[31]

Paradoxerweise, und entgegen den primären Intentionen des Sturm und Drang, kommt aber neben dem Stand einer Person nun auch wieder ihrem Charakter neue Bedeutung zu; denn dieser muß an psychologischer Tiefe gewinnen, was jener an soziologischer Höhe verlor, soll die tragische Wirkung erhalten bleiben.[32]

Der Begriff des bürgerlichen Trauerspiels besagt demnach, als Ganzes genommen, daß „das Publikum sich selbst als leidenden Helden auf der Bühne"[33] sieht: dies war „ein Novum, wenn nicht gar ein Skandalon"[34], und so erst versteht sich die „hochbedeutende Entwicklung dieser Form im Sturm und Drang"[35]. Gezeigt wird der bürgerliche als tragischer Held, als Opfer und Märtyrer; als einer, der — noch — im Kampf untergeht, weil ihm nicht ein einzelner anderer, sondern das Ganze, die Gesellschaft, deren Zustand gegenübersteht.[36]

In diesem Mißverhältnis, dem zwischen Absicht und Aussicht des Kampfes, liegt aber zugleich auch ein komisches Moment. So hat Friedrich Hebbel, dessen bürgerliches Trauerspiel das des Sturm und Drang fortsetzte, zwar dessen „aus dem Zusammenstoßen des dritten Standes mit dem zweiten und ersten in Liebes-Affären"[37] gebildetes Hauptmotiv als trauriges aber untragisches abgelehnt; hat aber die Tragikomödie dennoch durchaus im Sinn eben des Sturm und Drang definiert:

„denn eine solche ergibt sich überall, [...] wo auf der einen Seite wohl der kämpfende und untergehende Mensch, auf der anderen jedoch nicht die berechtigte sittliche Macht,

---

(30) Bruford: Germany in the Eigtheenth Century, S. 314 f.; Szondi: Die Theorie des bürgerlichen Trauerspiels ..., passim; Schaer: Die Gesellschaft im deutschen bürgerlichen Drama ..., S. 5—7, 27.
(31) Hettner: Das moderne Drama, S. 208 f.
(32) Hauser: Sozialgeschichte der Kunst und Literatur, S. 603.
(33) Dürrenmatt: Theaterprobleme, S. 117.
(34) Szondi: Die Theorie des bürgerlichen Trauerspiels ..., S. 15.
(35) Benjamin: Ursprung des deutschen Trauerspiels, S. 127; ebenso: Schmidt: Heinrich Leopold Wagner, S. 81; Löwenthal: Erzählkunst und Gesellschaft, S. 55 f.
(36) Melchinger: Geschichte des politischen Theaters, S. 18; Klotz: Geschlossene und offene Form ..., S. 108.
(37) Hebbel: Vorwort zur ‚Maria Magdalene', S. 326.

sondern ein Sumpf von faulen Verhältnissen vorhanden ist, der Tausende von Opfern hinunterwürgt, ohne ein einziges zu verdienen. Ich fürchte sehr, manche Prozesse der Gegenwart können, so wichtig sie sind, nur noch in dieser Form dramatisch vorgeführt werden."[38]

Und so hat das bürgerliche Trauerspiel von Anbeginn mit Notwendigkeit und Bewußtheit den Weg zur Tragikomödie beschritten[39]; wofür vor allen anderen Lenz verantwortlich zeichnete — „Lust- und Trauerspiel" lautet der seinem ‚Hofmeister' zugedachte Untertitel.[40]

Mehrfach sind komische Geschehnisse ins tragische Geschehen der ‚Kindermörderin' eingesprengt: etwa der Auftritt mit den Bordelldamen im ersten Akt, auch der mit den Fausthämmern im fünften[41], welch letzterer, als die Verprügelung und Austreibung des Bösewichts, seinen Effekt dem Arsenal des volkstümlichen Puppenspiels entnimmt; „elender Witz, den man höchstens dem Puppenspieler in der Schenke verzeihen kann"[42], bemerkte hierzu Wagners Bearbeiter Lessing in seinem großen Unverständnis für die Quellen, aus denen der Sturm und Drang mit Vorliebe schöpfte. Freilich lacht der Bürger hier nicht über sich selbst, sondern auf Kosten der unter ihm Stehenden — damit auf anderer, tieferer Ebene die traditionelle Definition der Komödie bestätigend, derzufolge in dieser der höhere Stand am niederen, nur in ihr zugelassenen (also ursprünglich der Adlige am Bürger) sich schadlos hält. Doch auch die bürgerlichen Personen des Dramas, Herr und Frau Humbrecht, entbehren selber keineswegs der Komik; gehören sie ja einer ursprünglich der Komödie zugerechneten Welt an, die nunmehr, noch von ihrer Herkunft gezeichnet, in der Tragödie sich wiederfindet, und der nunmehr die Würde des Tragischen zuerkannt und zugesprochen wird. Aber neben den Helden von einst macht der Bürger als Held keine sonderlich gute Figur und die schlechteste, wenn er, wie Molières 'bourgeois gentilhomme' (und die Humbrechtin), jene zu imitieren versucht; derart gestaltet sich seine inhaltlich berechtigte, formal verfehlte Emanzipation aus solcher Diskrepanz zur Tragikomödie, der man mit einem weinenden und einem lachenden Auge zuschaut. Diesen Zusammenhang hat nochmals K. G. Lessing gründlich mißverstanden, wenn er Wagner als einen Dramatiker des Sturm und Drang kritisiert:

„Ein solcher Dichter hat also keine andere Regel, als sich in Feuer und Enthusiasmus zu setzen, und sein Stück zu lassen, wie es in der ersten Begeisterung ausgefallen. Ob sie

(38) Hebbel: An Heinrich Theodor Rötscher, S. 388.
(39) Diderot: Dorval und ich, S. 207 ff.; Klinger: Betrachtungen und Gedanken . . ., S. 219 (Bd. 11); Bürger: Über Volkspoesie, S. 42 f.; Melchinger: Dramaturgie des Sturms und Drangs, S. 19, 92 f., 96; Guthke: Geschichte und Poetik der deutschen Tragikomödie, S. 44—77.
(40) Lenz: Anmerkungen übers Theater, S. 359, 361; Lenz: Rezension des Neuen Menoza, S. 418 f.; Genton: Lenz — Klinger — Wagner, S. 137—140; Höllerer: Lenz: ‚Die Soldaten', S. 138, 144, 146; Mayer: Lenz oder die Alternative, S. 807; Mattenklott: Melancholie . . ., S. 122—125; Hacks: ‚Die Kindermörderin', ein Lust- und Trauerspiel nach Heinrich Leopold Wagner.
(41) Schmidt: Heinrich Leopold Wagner, S. 83.
(42) Wagner/Fechner: Die Kindermörderin, S. 95.

bald in die poßierliche und komische Laune geht, bald wieder ganz tragisch und ernst ist, kümmert ihn nicht: genug er bringt alles in ein Stück, wie die Haushälterinn allen Vorrath in ein Gewölbe, und wer das sehen will, der muß freylich zuweilen Aug und Nase zuhalten. — Es herrscht daher in solchen Stücken ein disparater Ton, und man empfindet es ohne Erinnerung daß der Verfasser bald lustig bald traurig gewesen, ob er gleich nach dem Bedürfniß des Inhalts ganz etwas anders seyn sollen."[43]

Weiter würde ein Verständnis reichen, welches die affektive Zerrissenheit des Dramas als Ausdruck nicht einer individuellen Disposition des Dramatikers, sondern einer über ihn vermittelten kollektiven begriffe. „Die Komik [...] ist die obligate Innenseite der Trauer, die ab und zu wie das Futter eines Kleides im Saum oder Revers zur Geltung kommt."[44] „Tragik und Komik sind in ihrer Wurzel eins. Hier setzt die Entwicklung des modernen Dramas ein."[45]

(43) Wagner/Fechner: Die Kindermörderin, S. 93 f.
(44) Benjamin: Ursprung des deutschen Trauerspiels, S. 133.
(45) Friedell: Das Ende der Tragödie, S. 86.

7. Kategorien

7.1. Handlung

> Doch ist das romantische Trauerspiel auch in
> dieser Rücksicht bunter und in seiner Einheit
> lockerer als das antike. Aber selbst hier muß
> die Beziehung der Episoden und Nebenper-
> sonen erkennbar bleiben und mit dem Schluß
> das Ganze auch der Sache nach geschlossen
> und abgerundet sein.
>
> Georg Wilhelm Friedrich Hegel[1]

Adliger Offizier verführt und verläßt bürgerliches Mädchen; ein Kind wird geboren und getötet. Dies wäre, in knappster Charakteristik, der Inhalt des
Wagnerschen Dramas (doch bei weitem nicht seiner allein); zugleich auch die
Form, mittels derer es die außer ihm liegende Realität überhaupt erst zur Literatur macht. Denn der scheinbar private Sachverhalt stellt einen öffentlichen
dar: Politisches, soll es auf der Bühne erscheinen, muß (oder mußte zumindest
damals) personifiziert, durch exemplarische Personen repräsentiert werden —
und durch einen exemplarischen Fall, der Zustände in Konflikte, damit Handlung übersetzt.

Davon war schon die Rede, wie auch von Mésalliance und Kindesmord als
den konkreten Figurationen abstrakter Gesellschaftsverhältnisse; um so bemer-
kenswerter, daß das Drama sich damit keineswegs begnügt. Gewalt wird ihm
angetan, wenn man seine Handlung wie oben auf eine Formel reduziert, weil
es doch von sehr viel mehr handelt: Von Prostitution (9), Bällen (20 f.), Religion (25), Glücksspiel (39 ff.), Duell (41 f.), Polizeiwesen (63 f.) und so weiter;
weshalb auch für Wagner das Wort zu gelten scheint, das Scherer für Hahn
prägte: „Der Verfasser hat einige umherflatternde Motive eingefangen, sperrt
sie alle zusammen in einen Käfig; und da mögen sie nun sehen, wie sie mit
einander fertig werden."[2] Auch wenn es an anderem Ort und mit positiverem
Akzent dann heißt, es suche „sich die künstlerische Kraft in den siebziger Jahren daran zu bewähren, Disparates zum Ganzen zu zwingen"[3], klingt dies
doch noch nach dem Vorwurf, die Dramen würfelten lediglich aktuelle, unver-
bundene Themen zusammen; zu Unrecht: was aktuell ist, ist immer auch verbunden im Interesse der Zeit, Ausdruck und Auswirkung des zentralen gesellschaftlichen Prozesses auf allerdings verschiedenen Gebieten. Dessen realistische,
d. h. jeder ästhetisch scheinhaften Lösung sich versagende Widerspiegelung eben
als Prozeß war es, die Brecht am ‚Hofmeister' des Lenz rühmte: „Noch hat die

---

(1) Hegel: Ästhetik, S. 521 (Bd. 2).
(2) Zit. nach Zorn: Die Motive der Sturm- und Drang-Dramatiker, S. 16.
(3) Mattenklott: Melancholie . . ., S. 63.

Idee nicht das Stoffliche vergewaltigt; es entfaltet sich üppig nach allen Seiten, in natürlicher Unordnung. Das Publikum befindet sich noch in der großen Diskussion; der Stückeschreiber gibt und provoziert Ideen, gibt uns nicht das Ganze als Verkörperung von Ideen."[4]

Jene Einheit in Vielfalt läßt sich beispielhaft zeigen an dem zunächst recht heterogen anmutenden Exkurs des Magisters, seine pädagogischen Anschauungen betreffend, die „wohl schwerlich heut zu Tag wo Beyfall finden" (25), sondern eher Anlaß bieten könnten, daß er „darüber sollte verfolgt werden" (25). Will er doch seinen pubertären Eleven „auf eine Manier behandeln, die der gewöhnlichen grad entgegen gesetzt ist" (26), ihn nämlich erst an die „zügellosesten und ausgelaßensten Örter" (26), sodann noch ins „erste beste Lazareth oder Siechhaus" (27) führen. Dieser (Rousseaus ‚Emile' entlehnte) Vorschlag[5] hat natürlich auch einen Bezug zur Handlung; wenn der Magister davon spricht, daß „ein Glas Wein, ein ausschweifender Freund, ein unglücklicher Augenblick" (26) die traditionelle Pädagogik, die also Bewahrung anstelle von Bewährung setzte, „über einen Haufen werfen" (27) könnte, und wenn er von den „erbärmlichen scheuslichen Folgen eines einzigen Fehltritts, einer einzigen Ausschweifung" (27) spricht — so spricht er, ohne es zu wissen, doch von nichts anderem als dem, was Evchen geschah, und darf der Zustimmung des inzwischen bekehrten Leutnants sicher sein. Aber nicht nur in der Handlung hat dies einen Bezugspunkt, sondern auch, wie alle scheinbar disparaten Themen, jenseits ihrer, einen ihr und ihnen gemeinsamen. Angetreten war Sturm und Drang in der Absicht, eine verbildete Gesellschaft am Urbild der Natur zu korrigieren: getreu Rousseaus 'retour à la nature', aus dessen Schriften der Magister hier ja zitiert; solche Absicht indessen, wie jede gesellschaftsverändernde, nimmt sich stets aufs wirksamste der noch Unverbildeten, mithin der Erziehung an. „Der pädagogische Zug ist einer von denen, die der Sturm und Drang von der Aufklärung übernahm, nur weiterbildete, vertiefte."[6] Daher der im 18. Jahrhundert niemals unterbrochene Strom pädagogischer Reflexion, von Leibniz, Thomasius, Francke bis Hamann, Herder, Goethe, Schiller und Basedow, Bahrdt, Salzmann, Campe, Pestalozzi[7]; und kaum einer, der dazu nicht beigetragen hätte. Lenz akzentuierte im ‚Hofmeister' den Vorschlag, adlige zusammen mit bürgerlichen Kindern zu erziehen; Wagner — Hofmeister, Sprachlehrer, Verehrer Basedows, Verfasser eines Würfelspiels zwecks fröhlicher Unterweisung in Weltgeschichte[8] — zollte mehrfach Tribut. In seiner Straßburger ‚Deutschen Gesellschaft' wurden pädagogische mit literarischen Themen gemeinsam behandelt, wie das Protokoll vom vielberufenen Jahr 1776

(4) Brecht: Stückwahl, S. 249.
(5) Rousseau: Emil oder über die Erziehung, S. 388.
(6) Weißenfels: Goethe im Sturm und Drang, S. 419 (Anm. 16).
(7) Weißenfels: Goethe im Sturm und Drang, S. 419 f.; ebenso: Balet/Gerhard: Die Verbürgerlichung der deutschen Kunst ..., S. 240 f.; Gerth: Die sozialgeschichtliche Lage ..., S. 91—93; Genton: Lenz — Klinger — Wagner, S. 75—108; Pascal: Der Sturm und Drang, S. 184—189.
(8) Schmidt: Heinrich Leopold Wagner, S. 15 f.

ausweist: „Den 10ten Oktober las Hr. Corvinus eine Abhandlung ‚von dem Nutzen der Schläge in der Erziehung‘."[9] Oder zuvor, noch deutlicher: „Den 18ten Julius las Hr. Salzmann einige Paragraphen aus dem Aufsatze: ‚von den Fehlern in der Strasburg. Kinderzucht‘ und Hr. Wagner mit vielem Beifall ein Trauerspiel in 5 Aufzügen: ‚Die Kindermörderin‘."[10] Salzmanns Referat, allem Anschein nach eine „warnende Inhaltsangabe der ‚Soldaten‘"[11] von Lenz, schloß mit den Worten:

„Welche Verwüstung kann nicht ein Bösewicht in der Liebe, und die Eitelkeit eines Mädchens anrichten! Und für solche Verbrechen ist keine Strafe? Und durch solche Beyspiele, die leyder in stärkerm oder geringerm Grade nur allzuhäufig sind, lassen sich die Mütter nicht belehren, bey der Kinderzucht alles zu vermeiden, was die Eitelkeit erzeugen oder ihr Nahrung geben könnte?"[12]

Wie erinnerlich, hatte ja das Drama selbst, eingedenk seines aufklärerischen Erbes, pädagogische Wirkung sich vorgesetzt, und noch der Titel von Wagners umgearbeitetem Stück (‚Evchen Humbrecht oder Ihr Mütter merkts Euch!‘) hält daran fest. — Johann Heinrich Campe, seit 1776 Basedows Nachfolger in Dessau, stellte in sein Studierzimmer eine Büste Rousseaus und versah sie mit der Inschrift „Er zerknickte die Ruten der Kinder und Völker"; was noch einmal „den innigen Zusammenhang zwischen der pädagogischen Bewegung und der damaligen bürgerlichen Politik treffend illustriert"[13].

In gleicher Weise sind auch die anderen, zunächst äußerlich scheinenden Motive des Dramas dennoch mit dessen Zentrum, dem gesellschaftlichen Konflikt, zuinnerst verknüpft. Tanz und Ball übernahm das Bürgertum vom Adel, um seine Emanzipation unter Beweis zu stellen[14]; doch bewies es erst recht die eigene Unsicherheit und Schwäche, indem es beflissen seinem korrupten Widerpart nachzueifern und sich anzugleichen suchte (eine Versuchung, der hier wie in ‚Kabale und Liebe‘ der weibliche Teil eher erliegt als der standfestere, darob Streit heraufbeschwörende männliche). Wobei diese Korruptheit des Adels eben aus Prostitution und Glücksspiel erhellt — und aus der Duellsucht[15] sein ebenfalls desolater Ehrbegriff, der Evchen ja letzten Endes zuschanden macht. Was Gröningseck, Hasenpoth und der Major zur notwendigen Form der Satisfaktion erklären, gilt dem bürgerlich gesinnten Freiherrn von Knigge (der denkt, „wie jeder vernünftige Mann darüber denken muß") als „eine unmoralische, unvernünftige Handlung"[16], entsprungen einem „Vorurteil von übel verstandener Ehre"[17]. Wobei freilich, wenngleich unter umgekehrten Vorzei-

(9) Zit. nach Froitzheim: Zu Strassburgs Sturm- und Drangperiode, S. 52.
(10) Zit. nach Froitzheim: Zu Strassburgs Sturm- und Drangperiode, S. 51.
(11) Schmidt: Heinrich Leopold Wagner, S. 88.
(12) Zit. nach Schmidt: Heinrich Leopold Wagner, S. 134 f. (Anm. 58).
(13) Balet/Gerhard: Die Verbürgerlichung der deutschen Kunst..., S. 241.
(14) Bruford: Germany in the Eighteenth Century, S. 91 f.
(15) Beccaria: Über Verbrechen und Strafen, S. 71 f.; Zorn: Die Motive der Sturm- und Drang-Dramatiker, S. 40 f., 56.
(16) Knigge: Über den Umgang mit Menschen, S. 94.
(17) Knigge: Über den Umgang mit Menschen, S. 313.

chen, in diesem besonderen Konflikt auch wieder der allgemeine des Sturm und Drang modellhaft sich abbildet — nämlich der Widerspruch zwischen dem inneren und dem äußeren Gesetz, der den Handelnden immer zugleich zum einseitig sich Verschuldenden werden läßt; das innere Gesetz aber, jener verinnerlichte Komment der Aristokraten und Offiziere, erweist diese schon hier als unfreie, von ihrer Soziallage bis ins Handeln unweigerlich determinierte Figuren. (Und wiederum wirft das Protokoll der ,Deutschen Gesellschaft' von jenem Jahr 1776 ein Licht auf Aktualität und Kontext auch dieses Themas: „Den 22ten Augst. las Hr. Ramond von Colmar ein franz. Drama vor: ,Der Duell' betitelt, welches ein Zwischenstück eines grösseren Werkes ist, das den Namen Amours alsaciennes führt."[18])

Noch den allgemeinsten Wendungen der Diskussion ist ein Bezug auf Evchens Scheitern abzugewinnen: das unausweichliche Scheitern des Guten in einer dem Guten feindlichen Gesellschaft; „wie sauer es unser einem oft wird ein ehrlicher Mann zu bleiben! wie vorsichtig, bedächtig wir jeden Schritt abmessen müssen!" (43) klagt Gröningseck, eine Replik auf des Majors Wort vom schuldlos Schuldigwerden, als sähen sie Evchens Tat schon voraus und wollten um Verständnis für sie bitten: „ein Verbrechen, wozu man gezwungen wird, ist kein Verbrechen mehr" (42). Ja selbst die Kritik an der brutalen Lynchjustiz der Polizeibüttel — ohne die geringsten Bedenken haben sie zwei Bettler einfach totgeschlagen — vermöchte jenseits ihrer Funktion innerhalb des, wie gleich zu zeigen, allgegenwärtigen Todesmotivs auf die Fragwürdigkeit einer Gesellschaft zu deuten, die derart gegen jeden sich wehren muß, der sich ihren Regeln nicht fügt (auch Evchen gehört unfreiwillig dazu); anstatt zu erkennen, daß damit der Finger auf ihre Wunden gelegt wird, dort wo sie dem Interesse einiger aber nicht aller Berechtigung zumißt. Das rigorose Vorgehen gegen Bettler, gefallene Mädchen („eine von vielen Vogelscheuchen, die der dritte Stand in seinem Küchengarten aufgestellt hatte"[19]) und andere gehorcht einem sozialpsychologischen Mechanismus, demzufolge nur nach oben kommt und oben bleibt, wer etwas unter sich läßt; Aufstieg und Stand (hier: des Bürgertums) sind mit Abgrenzung und Ausscheidung bezahlt. Die alten Stadtansichten vergessen selten Hinrichtungsstätte, Rad und Galgen, als „den Preis, womit der schon durch die zahlreichen Wälle und wie Speerspitzen aufragenden Kirchtürme verdächtige Frieden des gemeinen Wesens erkauft ist."[20]

Die scheinbar peripheren und heterogenen Motive des Dramas also sind ihm im Innersten verbunden, definieren, auch denunzieren die am gesellschaftlichen Prozeß Beteiligten wie diesen selbst nicht anders als die hauptsächliche Handlung es tut; doch auch wenn sie es nicht täten, wenn der innere Zusammenhang nicht bestünde und der Vorwurf des Disparaten recht behielte, so gälte noch das Wort, welches Goethe zu Wagners Mercier-Übersetzung beisteuerte: „besser, ein verworrenes Stück machen, als ein kaltes."[21]

(18) Zit. nach Froitzheim: Zu Strassburgs Sturm- und Drangperiode, S. 52.
(19) Brüggemann: Vom Herzen direkt in die Feder, S. 123.
(20) Schweppenhäuser: Verbotene Frucht, S. 34.
(21) Neuer Versuch...

Aber nicht nur durch Unterschlagung seines Motivreichtums hat jene Handlungsformel dem Drama Gewalt angetan, sondern auch indem sie die Handlung selber unzulässig vereinfachte, ja entstellte. Nämlich nicht durchweg ist Gröningseck der Schurke: vielmehr wandelt er sich schon bald und kommt nachher, obwohl guten Willens zur Heirat entschlossen, einfach zu spät. Diese Zufallsdramaturgie (die gleichwohl auf ein außerhalb der Personen unanfechtbar waltendes Verhängnis weist) hat seit je heftige Kritik auf sich gezogen[22], wie zugleich jene sie begründende Läuterung des Leutnants als psychologisch unglaubhafte; die dennoch notwendig war, wenn anders nicht Evchens Vertrauen auf ihn, damit ihr Warten auf ihn unglaubhaft werden sollte. Nur die Bekehrung des Verführers zum Liebhaber hält das Drama in Gang und ermöglicht die umfassende Darstellung des Mésalliance-Themas in seinen beiden Formen. Desto dunkler erscheint Hasenpoth, dem — wie einem Sündenbock — die gesamte Schuld aufgeladen wird; er handelt als Verführer des bekehrten Verführers, als Verräter und Intrigant, doch (hierin unterschieden von seinesgleichen, etwa Schillers Sekretarius Wurm) ganz ohne persönliches Interesse, geradezu als Werkzeug, Wächter und Wahrer des sozialen Status quo: „Der Lieutenant von Gröningseck die Humbrechtin! — Unmöglich!" (44) Die unverantwortete Passivität des einen, die uneigennützige Aktivität des anderen machen deutlich, in welchem Maße ein Äußeres die Personen wie Marionetten leitet und lenkt; sie werden gehandelt, statt daß sie handeln (und — dies im voraus — gesprochen, statt daß sie sprechen). Jenes verborgene äußere Moment freilich ist ein soziales; Peter Hacks, der spätere und aus solcher Distanz scharfsichtigere Bearbeiter des Wagnerschen Stücks hat, wenn auch vielleicht etwas zu schlagfertig, die Frage beantwortet, „warum der Stückschreiber des achtzehnten Jahrhunderts beide Hindernisse dieser Heirat unmotiviert lassen durfte. Gröningsecks zufälliges Ausbleiben und Hasenpoths selbstlose Bosheit sind ihm nur theatergängige Maskierungen für das entscheidende Hindernis: die Existenz von Klassenschranken. In Klassengesellschaften bedarf die Katastrophe keiner allzu kunstvollen Verursachung. Sie wird erwartet, als das Natürliche."[23] Daß nur gelingt, was den objektiven Verhältnissen sich anbequemt, liegt an diesen, nicht an den Personen.

Es liegt außer ihnen und so zugleich außerhalb des Dramas, wird, als die Plausibilität seiner Handlung begründend, von der Erfahrung seines Publikums eingebracht. Damit aber geht es seiner traditionellen ästhetischen Absolutheit verlustig.

„Der soziale Dramatiker versucht die dramatische Darstellung jener ökonomisch-politischen Zustände, unter deren Diktat das individuelle Leben geraten ist. Er hat Faktoren aufzuweisen, die jenseits der einzelnen Situation und der einzelnen Tat wurzeln und sie dennoch bestimmen. [...] Die Umsetzung der entfremdeten Zuständlichkeit in zwischenmenschliche Aktualität bedeutet die Erfindung einer die Zustände vergegenwärtigenden Handlung."[24]

(22) Zorn: Die Motive der Sturm- und Drang-Dramatiker, S. 24.
(23) Hacks: Brief an einen Dramaturgen, S. 145 f.
(24) Szondi: Theorie des modernen Dramas, S. 63.

Und die in ihr handelnden Personen tun dies demgemäß nicht als ästhetisch autonome Individuen, sondern sie verweisen auf das empirische Kollektivum, dem sie angehören,

„vertreten Tausende von Menschen, die unter denselben Verhältnissen leben, ihre Situation vertritt eine durch die ökonomischen Faktoren bedingte Gleichförmigkeit. Ihr Schicksal ist Beispiel, Mittel der Aufzeigung und zeugt so nicht nur von der das Werk übersteigenden Objektivität, sondern zugleich vom darüber stehenden Subjekt der Aufzeigung: vom dichterischen Ich.“[25]

Das „offene Bezogensein auf ihm Äußerliches“[26] macht das Werk zu einem epischen (nach Szondi, freilich ohne daß man dies mit ihm, seiner idealtypischen Konstruktion zuliebe, auch beklagen müßte) — zu einem eben offenen, mit Handlung und Personen zur faktischen Realität hin unabschließbar geöffneten.

Diese vom Drama nicht abtrennbare Außenwelt konstituiert es inhaltlich als Exempel (soweit Szondi), formal als Fragment (weiterhin Klotz); insgesamt sowie in allen seinen Details präsentiert es sich als Teil eines so nicht dargestellten Ganzen, anstatt selber ein solches zu sein. Davon verlautet bereits in seinem allerersten Augenblick der Verzicht auf Vorgeschichte und Exposition: „Medias in res setzt das Drama ein“[27], und genauso abrupt (davon später mehr) setzt es auch aus. Und mit genauso harten, gleichsam filmischen Schnitten grenzen sich auch seine Akte gegeneinander ab, beginnen wie enden sie inmitten von Dialog und Aktion; aber selbst noch in sich sind sie zerstückt, sprunghaft, ungeglättet, und sogar noch das Reden und Handeln der einzelnen Personen hat daran teil. Bis hinein in diese, als Zerrissene, setzt die Scherbenwelt sich fort: beispielhaft, wie oft der alte Humbrecht — fast zugleich grob und zart — von einem Extrem ins andere fällt. Nicht anders auch (wie dort noch zu sehen sein wird) die Mordszene mit ihren schroffen Umbrüchen in Evchen, als einer gleichermaßen uneinheitlichen Figur.

Wie jedes seiner Details hat das Drama insgesamt dem alten Anspruch auf Einheit (hier: der Handlung) abgesagt. Statt sich auf eines zu konzentrieren, verzettelt es sich auf vieles, mit Tendenz zur „Totalität der dargestellten Menschen und der dargestellten Welt. Es zeigt die Menschen in ihren biologischen, sozialen, religiösen, moralischen Befangenheiten. Es zeigt die geistigen und materiellen, die sittlichen und politischen Aspekte der Welt. [...] In ein Kaleidoskop von Aspekten ist die Handlung zersplittert. Aspekte, in denen die mannigfachen Bezüge zwischen dem Helden und der Welt sichtbar werden.“[28] Das Drama weist sich als Teil eines außer ihm liegenden Zusammenhangs aus, den zu rekonstruieren es dem Publikum überläßt, so zugleich den seiner Akte. Doch sind diese bei aller Diskontinuität gleichwohl wie Perlen auf eine Schnur gefädelt; einmal hält die Kurve des Geschehens sie zusammen, dessen Aus-

---

(25) Szondi: Theorie des modernen Dramas, S. 64.
(26) Szondi: Theorie des modernen Dramas, S. 64.
(27) Klotz: Geschlossene und offene Form ..., S. 109.
(28) Klotz: Geschlossene und offene Form ..., S. 107; ebenso S. 110 f., 115 f., 149 f., 154.

schnitte sie sind; und zum anderen ist eine Art düsteres Leitmotiv unaufdringlich durch das ganze Drama geführt, im voraus auf dessen schlimmes Ende deutend. Denn kaum zufällig nähert sich der Dialog immer wieder der Sphäre, worin Gericht und Tod beheimatet sind. Gleich zu Anfang sprechen der Leutnant vom „Schindaas" (8), die Wirtin von „Galgen" (16) und „Staupbesen" (16), mit welchem Delinquenten gezüchtigt werden; und Evchen nennt ihren Verführer einen „Henkersknecht" (17), noch ohne zu wissen, daß er sie in der Tat auf den Weg zum Blutgerüst gewiesen hat. Von dem dann aus Anlaß des Duells auch ausdrücklich die Rede ist: von „des Henkers Arbeit" (39), von der Gefahr, „seinen Kopf auf dem Schavott dem Scharfrichter hinzustrecken" (42); ja „tausend Schavott und tausend Galgen" (42) werden beschworen, wie ebenfalls das „Spißruthen laufen lassen" (45). Voll dunkler Vorahnung ist das Gespräch Evchens, wo sie sich als ein „Kind des Tods" (47) bezeichnet, mit ihrer Mutter, der das einen „Stich ins Herz" (47) gibt: „Du wirst uns noch ins Grab bringen!" (47). Abermals Evchen: „Keins von uns hat im Buche der Vorsehung sein Schicksal gelesen: — eine innre Stimme, die ich aber immer zu betäuben suche, sagt mir, das Meinige wäre mit Blut geschrieben" (52). In der Folge gewinnt das Verbrechen selber durch die Befürchtungen des Magisters und der Marthan an Umriß; doch dies noch hintangestellt, sind doch der indirekten Hinweise schon genug: kaum ist Evchen entschwunden „in dem Nebel, er stinkt nach lauter Schwefel" (55), ergeht sich ihr Vater in Exklamationen wie „wo Henkers" (56) und „zum Henker" (57), wird die Tötung eines Kindes (63) und eines Handwerksburschen (64) verhandelt — die Obrigkeit: Richter und Mörder zugleich — und weiters von „Galgen" (69) und „foltern" (70) geredet; demgemäß es, nachdem alles vorbei ist, letztlich heißt, Gröningseck habe „im Raben" (82) Quartier genommen. Ungeachtet ihres jeweils eigenen Kontexts tragen so scheinbare Beiläufigkeiten mit anderen dazu bei, die Atmosphäre des Dramas zu verdüstern: als Indizien eines Prozesses, der in Evchen und ihrem Kinde ein doppeltes Blutopfer fordern wird. Auch hier, für Wagners Tragödie, gilt, was Benjamin über eine Geschichte Hebels schrieb: „Man lese sie nur genau: Der Tod tritt in ihr in so regelmäßigem Turnus auf wie der Sensenmann in den Prozessionen, die um Mittag um die Münsteruhr ihren Umzug halten."[29]

Hier wie überall stellt Wagner die sichere Kunstfertigkeit unter Beweis, mit der er, seine Zeitgenossen durchaus übertreffend, die Techniken des Theaters zu handhaben verstand; je unauffälliger das dramaturgische Netz geknüpft ist, desto gewisser wird das Publikum darin gefangen sein. Beispiele mögen zeigen, daß stets eins ins andere greift und noch das Nebensächlichste dem großen Plan sich einfügt:

So erwähnt Frau Humbrecht schon S. 29 ihre Absicht, die verlorene Schnupftabaksdose ausrufen zu lassen; und darauf beruht die glaubhaft gemachte Erscheinung der Fausthämmer und des Fiskals in Humbrechts Haus. Die Aufforderung des vermeintlich versöhnten Vaters an Evchen, nun auch wieder zur Kirche zu gehen (S. 49), ermöglicht die Erzählung des Magisters über ihre Ohnmacht bei der Katechismuspredigt. Und Grö-

---

(29) Benjamin: Der Erzähler, S. 422.

ningsecks Bemerkung zu Hasenpoth (S. 43 f.), daß er nie an Evchen geschrieben habe, begründet die Intrige des letzteren und die Katastrophe der Titelheldin."[30]

Erst die Glaubhaftigkeit der puren Handlung ermöglicht die des von ihr an Bedeutung Vermittelten.

Und noch einmal ist die Handlung des Dramas, über jene reduzierende Formel hinaus, auf ihr richtiges Maß zu erweitern; denn sie wird ja parallel begleitet von einer Nebenhandlung: genau wie Evchens Mordtat die der Polizeidiener entspricht, so auch schon ihrer (dafür ursächlichen) Entehrung die des Mädchens aus dem Humbrechtschen Hinterhaus. Mit Humbrechts eigenen Worten:

„die schöne Jungfer dahinten hat sich von einem Serjeanten eins anmessen lassen, die Mutter weiß drum und läßt alles so hingehen: die ganze Nachbarschaft hält sich drüber auf. — Jetzt marsch! Und kündig ihnen das Logis auf: du weißt jetzt, warum? — Wollte eher den ganzen Hinterbau Zeitlebens leer stehn lassen, Ratten, Mäusen und Nachteulen Preiß geben, eh ich solch Lumpengesindel beherbergen wollt. — Meine eigne Tochter litt ich keine Stund mehr im Haus, wenn sie sich so weit vergieng. — [...] Noch vor Sonnenuntergang sollen sie aufpacken, sonst schmeiß ich alles zum Fenster hinaus, und sie beyde, alt und jung hinter drein!" (31)

Und schon vorher, in derselben Tonart:

„Das Lumpengezeug! der verdammte Nickel! — Den Augenblick soll sie mir aus dem Haus: hasts gehört, Frau? den Augenblick! sag ich. Keinen Bissen kann ich in Ruhe fressen, so lang die Gurr noch unter einem Dach mit mir ist: — Wirsts ihr bald ankündigen oder nicht? wenn ichs ihr selbst sagen muß, so steh ich nicht dafür, daß ich sie nicht mit dem Kopf zuerst die Treppen hinunterschmeiß." (29 f.)

Dies bringt für Evchen zunächst eine schreckliche Täuschung, indem sie es (worin ihr der Zuschauer folgt) einen höchst spannungsreichen Moment lang auf sich bezieht: „Gott! das gilt mir!" (30); dann aber die nicht minder schreckliche Erkenntnis, daß sie für ihren eigenen Fall keineswegs auf Nachsicht und Hilfe ihres Vaters wird rechnen können: „in den paar Worten liegt mein ganzes Verdammungsurtheil!" (31) — womit die Rettungswege abgeschnitten sind und die Katastrophe ungehindert ihren Lauf nimmt. Um so entschiedener, da Humbrecht die Kraft zu solchem Verdikt aus dem wengleich trügerischen Bewußtsein von der Intaktheit seiner Familie bezieht. Mehr noch: Moralität wird auch hier als zentrales Konstitutiv der bürgerlichen Selbstauffassung signalisiert, als Abgrenzung nach unten und diesmal auch nach oben, zur vielbeklagten Korruption des Adels; mit eben jener Moralität, von der im gesamten Schrifttum der Zeit unablässig die Rede ist, fiele die tragende Säule des Standes und damit dieser selbst dahin. Und noch ein letztes leistet die Parallelhandlung: indem sie nämlich Evchens Fall erneut aus seiner Vereinzelung löst und als repräsentativen und exemplarischen vorstellt; ist sie ja, wie bekannt, nicht die einzige, die erste so wenig wie die letzte. Nicht was einer tut, macht ein Drama thematisch zum sozialen, sondern was vielen angetan wird.

---

(30) Wagner/Fechner: Die Kindermörderin, S. 167 (Nachwort).

Überhaupt treibt das Drama mit Spaltungen und Spiegelungen ein verwirrendes Spiel. Gröningseck und Hasenpoth, das öffentlich und das heimlich ermordete Kind, die beiden — von einem Leutnant und einem Sergeanten — entehrten Mädchen in Vorder- und Hinterhaus (dies alles innerhalb einer, wie zu sehen sein wird, durchaus achsensymmetrischen Komposition) sind Doppelheiten, denen sich am Ende noch die der Hauptfigur selber anschließt. Denn die zweifache Selbstanklage des Gretchen im ‚Urfaust' — „Meine Mutter hab ich umgebracht! Mein Kind hab ich ertränkt"[31] — könnte, leicht variiert, auch für Evchen in der ‚Kindermörderin' gelten; sie ist ja nicht nur das, wozu sie dieser Titel stempelt, sondern noch eine Muttermörderin dazu, und das erste erst aufgrund des zweiten. Daß sie schuldig ist an der Mutter, macht ihre Verzweiflung komplett, raubt ihr den letzten Rest von Hoffnung auf Heimkehr, und läßt sie am Kind schuldig werden; sie möchte ihm das Schicksal des Muttermörders ersparen, dessen Tat ihr die Marthan zusammen mit Evchens eigener (dies eine weitere Parallele) eben so ausführlich erzählt hat. Unvermutet mit ihrer Vergangenheit und Zukunft, mit Bordell und Schafott konfrontiert, erkennt sie ihre ausweglose Situation. Die doppelte Enthüllungsszene — die Marthan deckt Evchens Vor- und Nachgeschichte auf, Evchen daraufhin ihre Identität mit der Hauptfigur eben dieser Geschichte — steckt voller Mißverständnisse, die, wollte man sie im einzelnen nachzeichnen, eher noch mißverständlicher würden; die Fäden könnten kaum kunstvoller zum Knoten geschürzt sein. Daß Evchen sich zu erkennen gibt, um der Marthan die Belohnung zu verschaffen (Schillers ‚Räuber' werden das Motiv aufnehmen), begründet deren Weggang und damit die Situation, die das Verbrechen möglich macht. Evchen verfällt dem Wahnsinn, vervollständigt den Muttermord durch Kindesmord: die drei zentralen Themen des Sturm und Drang[32] treten hier aufs engste zusammen.

7.2. Zeit

> Am wenigsten aber darf der bloß empirischen Wahrscheinlichkeit, daß wir als Zuschauer in wenigen Stunden auch nur einen kurzen Zeitraum in sinnlicher Gegenwart vor uns könnten vorübergehen sehen, das große Wort gegeben werden.
>
> Georg Wilhelm Friedrich Hegel[1]

„Der Schauplatz ist in Straßburg, die Handlung währt neun Monat" (4) — damit wird, und knapp genug, das Drama lokal wie temporal definiert; diese Bemerkung aber, eine eher programmatische denn nur technische, will viel heißen.

---

(31) Goethe: Urfaust, S. 419.
(32) Zorn: Die Motive der Sturm- und Drang-Dramatiker, S. 66—73.
(1) Hegel: Ästhetik, S. 520 (Bd. 2).

Einmal die Zeit des Dramas: nicht allein, daß es durch sie (hierin wieder den allgemeinen Prinzipien des Sturm und Drang folgend), indem es nämlich weit mehr als den üblichen Tageslauf umgreift und so dem Publikum eine Diskrepanz gewissermaßen zwischen erzählter und Erzähl-Zeit zumutet, gegen eine der traditionellen drei Einheiten opponiert; sondern es vergeht sich zugleich gegen ein traditionelles literarisch-gesellschaftliches, über biologische Vorgänge verhängtes Tabu, das nicht einmal die Darstellung von Essen, Trinken, Rauchen zuließ.[2] Wagner nimmt dies und noch viel mehr ohne Scheu ins Drama hinein. „Cynisch genug", als „plumpen Wink"[3] empfand es sogar noch Erich Schmidt, daß hier auf einen solchen Vorgang verwiesen wird: auf Evchens Schwangerschaft, das den Namen kaum verdienende Leben des Kindes zwischen unglücklicher Empfängnis und unglücklicher Geburt samt dem gleichfalls glücklosen Versuch, dieses Ganze nachträglich durch Mord zu annullieren: mithin zwischen dem ersten und dem letzten Akt.

Die realistisch bemessene Spanne grenzt derart das Geschehen nach außen ab, gegen das unendliche Kontinuum der Wirklichkeit; zudem konstituiert es wesentlich sein Inneres. Denn mit der Schwängerung Evchens wird gleichsam eine unsichtbare Uhr in Gang gesetzt, und der unbeeinflußbare Ablauf ihres Werks macht das dramatische zu einem atemlosen Wettlauf mit der Zeit. Fremdbestimmtheit, dementsprechend Machtlosigkeit der Personen ist auch darin bedeutet. An deren Stelle figuriert eben die „Zeit als Wirkungsmacht", als welche sie, wie überhaupt im offenen Drama, „eigenständig auf die dramatis personae Einfluß zu nehmen"[4] vermag. Was aber nicht von einer ihr neu zugewachsenen Stärke, sondern von der jenen Personen (und zwar: gesellschaftlich) zugefügten Schwäche zeugt; konkret von Evchens sozial begründeter Unfähigkeit, mit Taten den Gang des Uhrwerks abzubrechen oder ihm zuvorzukommen; oder ihn einfach zu ignorieren.

Die unüblich umfassende Zeitspanne läßt sich aber nicht mehr — es wäre denn in einem Zeitraffer — als Ganzes auf die Bühne bringen; sie „zerfällt bei der szenischen Verarbeitung [...] in Teile, in Ausschnitte, die sich nicht zum Ganzen summieren, sondern es in bezeichnenden Phasen evozieren"[5]: der bekannte Fragmentcharakter des offenen Dramas, der auch in dieser Hinsicht auch diesem Stück eigen ist. Doch bleibt die temporale Relation seiner Teile, sprich Akte, mittels geschickt ausgestreuter Datierungshinweise zu deren jeweiligem Beginn unmißverständlich gewahrt. Der erste spielt im Karneval, wie die Maskerade (5) gleich anzeigt, und da genau am Montag, wie sich im zweiten (20) dann herausstellt; dieser selbst am folgenden Tag (20); im dritten heißt es, Gröningseck säße schon den „ganzen Sommer" (32) zu Hause und ließe „seit vier, fünf Monaten, seit dem letzten Karneval" (32) den Kopf hängen; der vierte kommt gleich danach, denn Gröningseck tritt nun die Reise an

(2) Klotz: Geschlossene und offene Form ..., S. 136, 138 f.
(3) Schmidt: Heinrich Leopold Wagner, S. 95.
(4) Klotz: Geschlossene und offene Form ..., S. 114.
(5) Klotz: Geschlossene und offene Form ..., S. 115 f.

(50), deren Vorbereitungen er am Ende des vorigen (45) noch getroffen hat; im fünften ist vom Nebel die Rede, „um Michaelstag herum kanns nicht wohl anders seyn" (55), der aber wird am 29. September (nach französischer Sitte am 16. Oktober) gefeiert; Evchen verschwindet, Gröningsecks Frist von zwei Monaten (52, 54) ist nun ja ergebnislos verstrichen, um im sechsten wieder zu erscheinen, und da sind es denn, laut Frau Marthan, „fünf Wochen, daß sie bey mir ist" (72). — An einer solchen scheinbaren Nebensächlichkeit, die sich freilich aus jener Aufsplitterung der dramatischen Zeit in Phasen ergibt, läßt sich erneut zeigen, mit wieviel Subtilität der Autor zu Werke ging.

Auch in einem aus dem Formalen ins Inhaltliche zurückführenden Sinne ist die dramatische Zeit, besser: die Zeit des Dramas zu verstehen; nämlich als die historische, in der es spielt, und die (hier tritt der Begriff des Zeitstücks in sein Recht) identisch ist mit der, in der es geschrieben wurde. Doch daß in den paar Stunden der Vorstellung wie in den paar Monaten des Vorgestellten die paar Jahre des Sturm und Drang aufs deutlichste hervortreten — das bedarf nun wohl nicht länger des Kommentars. Jeder Zug dieses Dramas ist ein Zug der Physiognomie seiner Entstehungszeit (und seines Entstehungsorts); kaum eines hat mehr Zeitkolorit (und Lokalkolorit); und damit zur nächsten Kategorie der Interpretation.

7.3. Ort

> Weniger noch kann sich die neuere dramatische Poesie, wenn sie einen Reichtum von Kollisionen, Charakteren, episodischen Personen und Zwischenereignissen, überhaupt eine Handlung darstellen soll, deren innere Fülle auch einer äußeren Ausbreitung bedarf, dem Joche einer abstrakten Dasselbigkeit des Orts beugen.
>
> Georg Wilhelm Friedrich Hegel[1]

Der Schauplatz all dessen, so wurde gesagt, ist Straßburg; auch diese Angabe hat ihren tieferen Sinn. Sie bezeichnet eine infolge Verkehrsgunst und Grenzlage seit je besonders lebendige Stadt[2], französisch, doch mit deutscher Universität, von Deutschen damals stark frequentiert[3], eine friedliche Insel (noch Büchner wußte sie zu schätzen) in geringer aber sicherer Distanz zu den beklagenswerten heimatlichen Zuständen; eine reichsstädtisch-demokratisch verfaßte „Republik mitten im streng absolutistischen Königreich"[4], wo sich bereits „die Atmosphäre der Vorrevolution"[5] geltend machte; zugleich Front und Bastion

---

(1) Hegel: Ästhetik, S. 519 (Bd. 2).
(2) Bruford: Germany in the Eighteenth Century, S. 181 f.
(3) Borries: Geschichte der Stadt Strassburg, S. 40 f., 55 f.
(4) Friedenthal: Goethe ..., S. 96.
(5) Genton: Lenz — Klinger — Wagner, S. 146.

zwischen der noch dominierenden französischen und der schon rebellierenden deutschen Literatur. Straßburg war, und das bedarf nun keiner Begründung mehr, die Hauptstadt des Sturm und Drang (wie später Weimar die der Klassik): des Kreises um Herder, Goethe, Lenz, Jung-Stilling, mit dem gotischen Münster als Inbild und Inbegriff seines Wesens; und besonders auch die Stadt Wagners, doch er war hier geboren und aufgewachsen, und vieles ihm von selbst schon zugefallen, was seine poetischen Freunde und Kommilitonen erst neu sich erwerben mußten. Dazu zählt vor allem die dem Sturm und Drang hochwillkommene Kenntnis der sozialen Unterschichten, hier: des Elsässer Landvolks sowie der Straßburger Kleinbürger und Handwerker (Wagner wohnte „bey der kleinen Metzig"[6], Lenz beim Metzger Kreß in Finkweiler[7]), Kenntnis auch der Soldatenwelt und einiger Fälle von Verführung und Kindsmord, die sich teils aus deren Treiben herleiteten. Diese erfahrene Realität ließ sich nie mehr verleugnen, auch wenn es der Autor etwa beabsichtigte: die ‚Soldaten' von Lenz sprechen plötzlich und verräterisch, obwohl sie doch in Flandern zu spielen vorgeben, von der „Rheinluft"[8]; und sein angeblich Leipziger ‚Zerbin' nennt das französische Dekret und als dessen Opfer ein Mädchen aus dem benachbarten Reichsdorf[9], somit den ihm historisch zugrundeliegenden Prozeß gegen die Straßburger Metzgerstochter Sophie Leypold entdeckend[10] — den auch Wagner kannte. Hier in Straßburg, unter derart günstigsten Vorzeichen, schöpfte er aus eigenster, breitester Erfahrung, ohne es freilich, wie Lenz, zu kaschieren; nahezu jeder Name von Personen, Lokalitäten, Institutionen ist, wie minutiös nachgewiesen wurde[11], aus der historischen in die literarische Realität eingewandert.

Die Frage geht nun allerdings danach, auf welche Weise jene in dieser zum Vorschein kommt. Das Drama spielt durchweg eben in Straßburg, aber dort in verschiedenen Räumen (womit die dritte traditionelle Einheit, die des Ortes, zugleich gewahrt und verletzt wird). Und in Innenräumen spielt es ausschließlich: sie, als das „Innerste des Staates"[12], werden zum „Schauplatz der Auseinandersetzung zwischen Bürgertum und Adel"[13]. Ausschließlich auch in dem Sinn, daß eben das Drama mit dem Außen auch jegliche Natur bedeutungsvoll ausschließt — die dem Sturm und Drang als Bild der Freiheit, als „Gegensatz von höfischer Gesellschaft"[14] doch so viel galt. In ihr erblickte eine Epoche,

---

(6) Schmidt: Heinrich Leopold Wagner, S. 85.
(7) Froitzheim: Lenz, Goethe und Cleophe Fibich von Strassburg, S. 21.
(8) Lenz: Die Soldaten, S. 204.
(9) Lenz: Zerbin . . ., S. 163.
(10) Froitzheim: Lenz, Goethe und Cleophe Fibich von Strassburg, S. 24; Rameckers: Der Kindesmord . . ., S. 143 f., 183.
(11) Froitzheim: Goethe und Heinrich Leopold Wagner, S. 42—57; Froitzheim: Lenz, Goethe und Cleophe Fibich von Strassburg, S. 82—85.
(12) Szondi: Die Theorie des bürgerlichen Trauerspiels . . ., S. 173.
(13) Szondi: Die Theorie des bürgerlichen Trauerspiels . . ., S. 172; ebenso: Schaer: Die Gesellschaft im deutschen bürgerlichen Drama . . ., S. 77—79.
(14) Lepenies: Melancholie und Gesellschaft, S. 100.

deren Prinzipien sich immer wieder auf den Begriff der Natürlichkeit bringen ließen[15], die radikale Antithese zum Gesellschaftlichen insgesamt:

„das moderne sentimentalische Naturgefühl ist nur die Projektion des Erlebnisses, daß die selbstgeschaffene Umwelt für den Menschen kein Vaterhaus mehr ist, sondern ein Kerker", „ist nichts als die geschichtsphilosophische Objektivation der Entfremdung zwischen dem Menschen und seinen Gebilden"[16].

Dies wäre, zumal an der Lyrik des Sturm und Drang, aufs einleuchtendste zu belegen. Wie nie zuvor wird Natur zur Parole und zum „Symbol für einen Begriff von Ganzheit, den das Bürgertum in einer vom Adel (noch) beherrschten Welt nicht zu finden vermochte"[17]. (Als „Antithese zur Gesellschaft"[18] gilt Natur auch dem jungen Werther, der ja, wie zu erinnern, „ein völlig negatives Verhältnis zur bürgerlichen Gesellschaft hat"[19] — deswegen allerdings, weil diese, was die Formulierung verwischt, genau betrachtet keine bürgerliche war.) Klinger zufolge ist es im Tiefsten genau dieser unaufgelöste Gegensatz oder Widerspruch zwischen — so seine eigenen Worte — dem Natürlichen und dem Gesellschaftlichen, der einen Konfliktfall wie den von Wagner dargestellten überhaupt erst aus sich hervorbringt:

„Das Widernatürliche und Gewaltsame unsers Zustandes in der bürgerlichen Gesellschaft zeigt sich nirgends stärker, als in der Unterjochung des Geschlechtstriebes, die uns religiöse und politische Gesetze auflegen und aus Wahn und noch mehr aus Noth zur Tugend machen mußten."[20]

Mit gutem Recht ist von „Natur als einem der Gesellschaft entgegenzusetzenden Prinzip melancholischer Flucht"[21] gesprochen worden; und erst auf diesem Hintergrund, den zu skizzieren durchaus keine Abschweifung bedeutete, wird sichtbar, was es heißt, wenn den von Melancholie gezeichneten Personen Wagners auch noch dieser Ausweg abgeschnitten bleibt. Das Drama ist bedeutend und bedeutungsvoll gerade auch in dem, was es von den anderen seiner Zeit unterscheidet; konsequenter als sonst, weil unangefochten die Bühne beherrschend, figuriert der bürgerliche Innenraum, ohnehin schon eine Verengung gegenüber dem bisher vorwaltenden höfischen Saal, als „Kerker"[22], „Kerker des Ich"[23], „Grab"[24] und „Sarg bei Lebzeiten, in dem der Mensch atembeklemmend eingesperrt ist"[25].

Ausgesperrt wird — denn weder Ausgang noch Ausblick sind erlaubt —

---

(15) Balet/Gerhard: Die Verbürgerlichung der deutschen Kunst ..., S. 394—490.
(16) Lukács: Die Theorie des Romans, S. 62.
(17) Lepenies: Melancholie und Gesellschaft, S. 100.
(18) Pascal: Der Sturm und Drang, S. 242.
(19) Korff: Geist der Goethezeit, S. 303.
(20) Klinger: Betrachtungen und Gedanken ..., S. 252 (Bd. 12).
(21) Lepenies: Melancholie und Gesellschaft, S.97.
(22) Klotz: Geschlossene und offene Form ..., S. 123.
(23) Klotz: Geschlossene und offene Form ..., S. 121.
(24) Klotz: Geschlossene und offene Form ..., S. 124.
(25) Klotz: Geschlossene und offene Form ..., S. 123.

alles, was dieses melancholische Intérieur selbst andeutungsweise zu stören, das heißt aufzubrechen vermöchte; zu dessen weiterer Bestärkung schließt, am Beginn des vierten Akts (45), Frau Humbrecht das im Stück sonst nirgends sichtbare Fenster, noch bevor es „Raumverbindung", „Kontaktmittel", „Kommunikation zwischen Innen- und Außenraum"[26] zu sein imstande wäre. Die Welt bleibt draußen und der Mensch mit sich allein; bezeichnend ist es und nicht minder symbolhaft, wenn dem vollends resignativen Bürgertum des folgenden, des 19. Jahrhunderts das „störende Fenster" als „eine ständige Quelle der Beunruhigung"[27] erschien, welche die Theoretiker des bürgerlichen Intérieurs auf mannigfache Weise zu verstopfen suchten: denn inzwischen hatte man sich, Privates gegen Politisches setzend, in der anfangs erzwungenen Abgeschlossenheit recht gemütlich eingerichtet, obwohl durchaus nicht ohne Melancholie.

War das Fenster schon unvermeidbar, so bediente man sich seiner doch am liebsten in Kombination mit einem außen angebrachten Spiegel, der eben dieses Außen ins Innen projizierte, so daß es sogar unnötig wurde, das Fenster zu öffnen und sich hinauszubeugen; eine höchst bedeutungsvolle Vorrichtung.

„Spiegel und Trauer gehören zusammen — in diesem Satz steckt die Verbindung der melancholischen Situation des Intérieurs mit der Erkenntnis von Weltverlust und steigendem Reflexionshang. Der Spiegel bietet die Außenwelt als bloßen Schein dar: als Realität ist sie dem, der den Spiegel benutzt, längst verloren."[28]

Geradezu anstatt des Fensters dient dem Melancholiker nämlich der Spiegel zum einzig gemäßen Requisit, wie, nun wieder in der ‚Kindermörderin', der Anfang des fünften Akts (55), auch der des dritten (31), von ungefähr andeuten; statt des befreienden Blicks nach draußen, auf Anderes und Andere, gibt es immer wieder nur den, der ausweglos ins eigene Ich zurückwirft. Kaum zufällig, wenn auch wohl dem Autor kaum bewußt, entzieht sich das Fenster hier genauso hartnäckig, wie der Spiegel sich aufdrängt. Dies an ganz unvermuteten Stellen: „wenn nur ein Spiegel da wäre!" (9), ruft Frau Humbrecht, und das (historisch bezeugte) Café, wo der Major „am Fenster das in den Hof geht" (40) die kartenspielenden Offiziere beobachtet, heißt — „Spiegel" (40). Etwa anderthalb Jahrzehnte nach Wagners Drama berichtete in dem von Karl Philipp Moritz und anderen herausgegebenen ‚Magazin für Erfahrungsseelenkunde', der ersten psychologischen Zeitschrift deutscher Sprache, ein Prediger Reinhardt von einem Melancholiker, an dem mehrmals auffällig war, „daß er, wenn er meinem Spiegel sich naeherte, mit seinem Blick darin verweilte"[29].

Klare Umschau ist den Personen allein deshalb schon verwehrt, weil nur selten Helligkeit sie umgibt (sie als Melancholiker, wie bekannt, auch nicht erfüllt). Sie

(26) Klotz: Geschlossene und offene Form ..., S. 129.
(27) Sternberger: Panorama ..., S. 156.
(28) Lepenies: Melancholie und Gesellschaft, S. 137 f.
(29) Reinhardt: Heilung eines Melancholischen, S. 78; ebenso: Friedell: Kulturgeschichte der Neuzeit, S. 579 f.

„stehen unter der Einwirkung des Wetters, der Jahres- und Tageszeit, die durch Lichtveränderung den Raum modifiziert. In vielen Szenen herrscht nächtliches Dunkel oder Dämmerung; hier verschwimmen die Konturen der Personen, die ihr Gegenüber oft nur ahnen, nicht aber klar sehen. Der messende und urteilende Überblick über ihre Mitmenschen und über ihr räumliches Drumherum geht dabei verloren."[30]

Das gilt hier (womit nun beide Kategorien miteinander verschmelzen, Zeit im Raum dargestellt, verräumlicht wird) für das Abenddunkel des vierten — „Die Thore sind ja schon längst zu" (45) — und die „Morgendämmerung" (55) des fünften Akts, vor allem aber für die rabenschwarze Nacht des ersten, die eine Kerze, sofern sie nicht gerade ausgeht (6), notdürftig erleuchtet. So bleiben die Personen einander verborgen, und kein Zufall, daß sie zudem vermummt die finstere Bühne betreten, wenn das Stück beginnt: „die Frauenzimmer haben Domino, Er eine Wildschur an; alle noch ihre Masken vor" (5). Einander unkenntlich, aneinander vorbeiredend, mißrät ihnen Kommunikation bis zum Gegenteil, wie sich denn auch der lichtscheue Leutnant im Wolfspelz als Wolf im Schafspelz entpuppt. Über all dem lastet die Ahnung, daß das Stück ebenfalls finster wird enden müssen; und daß die Personen aus Eigenem nicht fähig sein werden, diese äußere wie innere Finsternis aufzuhellen und derart ihrem Schicksal, es erkennend, zu entgehen. „Es wird ja so schon dunkel", sagt Evchen konsequent im letzten Akt, kurz vor dem Mord, und fügt nach einer Pause hinzu: „mir vor den Augen! war mirs schon lang" (79).

„Das enge, dingbestückte Zimmer [...] wird zum Ausdruck der mangelnden zwischenmenschlichen Kommunikation. Es bedrängt und bedrückt die Menschen gleich einem Zwinger."[31] Das macht, noch vor den einzelnen Räumen selber, erneut auf die Dinge aufmerksam, die diese als Requisiten bevölkern. Ihrer sind wenige (konträr dem Gesetz des offenen Dramas[32]), aber bedeutende. Sie charakterisieren zunächst jene Räume: „bürgerlich meublirt" (19) die Humbrechtsche Stube, mit dem Klavier als adäquatem Ausdrucksinstrument bürgerlicher Empfindsamkeit[33]; dagegen „ein armseliges Bett ohne Vorhäng" (71) bei Frau Marthan, und im Bordell, einem „Stall" (6), „schlecht [...] meublirt" (6), stehen „Drey Stühl, und ein Tisch, den man nicht anrühren darf" (6), wie sich zeigt, außerdem, nochmals mit Gröningsecks Worten: „seht doch das Stellagie da an, halb Bett, halb Kanape; ich glaub gar es ist ein Feldschragen, den sie aus dem Spital gestohlen haben" (7).

Die Dinge charakterisieren aber auch die Personen, indem diese ihrer sich bedienen, ja sogar ihrer bedürfen; hierher zählen (meist in pantomimischem Zusammenhang, von dem an späterer Stelle die Rede sein wird) etwa die Requisiten jener Mahlzeit im ersten Akt, zusammen mit dem fatalen Verführungsinstrument des Schlaftrunks, dem im letzten das fatale Mordinstrument der Nadel antwortet; wieder die Möbel, wenn sie dem am Geschehen ohn-

(30) Klotz: Geschlossene und offene Form ..., S. 134.
(31) Klotz: Geschlossene und offene Form ..., S. 122.
(32) Klotz: Geschlossene und offene Form ..., S. 135 f.
(33) Balet/Gerhard: Die Verbürgerlichung der deutschen Kunst ..., S. 353.

mächtig Verzweifelnden Halt und Stütze bieten: „Humbrecht fällt wie betäubt auf einen Stuhl, die Händ auf den Tisch, den Kopf drauf" (71; dsgl. 66). An den Dingen erweisen sich die Personen demnach auch als schwache und ausgelieferte, und diese ihre Unselbständigkeit wird auch von den jeweiligen Kleidern bedeutet[34], einem Mittel sozialer Differenzierung und Klassifizierung. Obrigkeitliche Erlasse verpflichteten mit großer Strenge jeden, daß er mit dem, was er trug, seinen gesellschaftlichen Rang zu erkennen gebe.[35] Wagner hat dem in der zweiten Version seines Dramas, in deren ausführlichen Vorschriften zum Kostüm[36], Rechnung getragen; hier liefert Frau Humbrecht den Beweis zugleich für diese Ordnung, ihren Wandel und ihre unterscheidende Funktion selbst innerhalb des Bürgertums, wenn sie klagt, ihr Mann, der „noch ganz von der alten Welt" (23) sei, habe von Evchen verlangt, „sie müßte die goldne Haube aufsetzen, und doch sieht man sie keinem Menschen mehr auf haben als höchstens Gärtners und Leinwebers Töchtern" (23). Und Evchen tauscht ihren „tafftenen" Mantel gegen den „baumwollnen" ihrer Magd (55), um darin, als einem Inkognito, ihre soziale Herkunft zu verbergen. Und nochmals bietet der alte Humbrecht ein tragikomisches Bild der Hilflosigkeit, wenn er, von den Ereignissen überrascht, „im Nachtkamisölchen, Schlafmütz, und niedergetretnen Schuhen" (56) erscheint. „Die Dinge haben also wie der Raum die Aufgabe, die Vorgänge zu charakterisieren, ihnen gleichsam eine optische Tonart zu geben, und die Personen [...] in möglichst vielen verschiedenen Situationen als Bedingte auszuweisen."[37]

Von den Dingen — den durchaus nicht erlesenen und auserwählten, nicht der Höhenregel des traditionellen Dramas entsprechenden[38] — ist gesagt, daß sie die Personen als einem Anderen ausgelieferte offenbaren; doch sind diese, ganz direkt, auch jenen selber ausgeliefert: sie, die Dinge, entpuppen sich als „eigenmächtig", „spielen mit"[39], gehören einer den Personen entfremdeten, unzugänglichen und unbeeinflußbaren Eigenwelt an. Das zeigt unter den fatalen Requisiten die Schnupftabaksdose der Frau Humbrecht; sie verschwindet im ersten Akt, um im fünften wieder aufzutauchen und die gesamte, bislang verborgene Vorgeschichte zu enthüllen; sie entfaltet damit eine weitreichende, in groteskem Mißverhältnis zu ihrem Wert an sich stehende Wirkung, ohne daß sie, wie dies im herkömmlichen Drama die Regel wäre (und wie es hier auf Hasenpoths Brief[40] zutrifft), ein Mitspieler dazu benützte. Sie bedarf dessen nicht, denn sie spielt selber mit, geht und kommt nach Belieben. Ihr berechneter Auftritt treibt das Geschehen der Katastrophe zu; was er aufdeckt, führt

(34) Klotz: Geschlossene und offene Form ..., S. 146.
(35) Bruford: Germany in the Eighteenth Century, S. 18, 193, 217 f.; Birkner: Leben und Sterben ..., S. 132 f.
(36) Wagner/Fechner: Die Kindermörderin, S. 123 f.
(37) Klotz: Geschlossene und offene Form ..., S. 136.
(38) Klotz: Geschlossene und offene Form ..., S. 135.
(39) Klotz: Geschlossene und offene Form ..., S. 135.
(40) Zorn: Die Motive der Sturm- und Drang-Dramatiker, S. 104 f.

zur Verzweiflung Frau Humbrechts, und diese, von Evchen als Muttermord interpretiert, zu deren Verzweiflung und Kindesmord.

„Denn über das Menschenleben, ist es einmal in den Verband des bloßen Kreatürlichen gesunken, gewinnt auch das der scheinbar toten Dinge Macht. Seine Wirksamkeit im Umkreis der Verschuldung ist Vorbote des Todes. Die leidenschaftliche Bewegung des kreatürlichen Lebens im Menschen — mit einem Worte: die Leidenschaft selbst — setzt das fatale Requisit in die Aktion. Es ist nichts als die seismographische Nadel, die Kunde gibt von ihren Erschütterungen. Im Schicksalsdrama spricht sich die Natur des Menschen in blinder Leidenschaft wie die der Dinge in dem blinden Zufall unterm gemeinsamen Gesetz des Schicksals aus."[41]

Benjamins Worte, gültig fürs Trauerspiel nicht nur des Barock, machen die geheime Mechanik des tragischen Ablaufs kenntlich, als eine autonome, die nicht den Personen, sondern die Personen sich unterwirft und deren Zugriff sich entzieht.

Das letztgenannte Requisit ließe sich auch noch anders deuten — mittels der psychoanalytischen Traumdeutung, worin die Dose oder Büchse als Symbol des weiblichen Genitale figuriert.[42] Auf sehr seltsame Weise stimmt damit überein, daß eben sie, wie Frau Humbrecht bemerkt, ihr von ihrem Mann „in unserm Brautstand" (29) gegeben wurde; und daß sie in genau demselben Moment wie Evchens Brautschaft, das heißt Jungfräulichkeit entwendet wird (16). Evchen zieht ja vollends die Parallele: die Mutter jammere um eine Dose, wie „Wenn dies der gröste Verlust wäre" (29). Als ein Symbol des männlichen Genitale aber gilt der Freudschen Theorie die Kerze[43], und auch sie spielt im Zusammenhang der Verführung eine Rolle; daß sie nämlich, mit Beihilfe des Leutnants, erlischt, ermöglicht dessen ersten unzüchtigen Griff nach dem Objekt seines Triebes (6). Überhaupt ist die dämmerige Atmosphäre des ersten Akts von der des Traumes nicht ganz verschieden; ihn und das Drama als solchen zu lesen, ginge wohl an. Denn die Psychoanalyse steht schon dadurch, daß sie, wie die Soziologie, dem Werk ein seinem Autor Unbewußtes entlocken möchte, auf der methodologischen Ebene dieser Interpretation. Beide Aspekte sind sogar aufeinander verwiesen; ist doch die innere Welt ein Spiegel der äußeren, und die Psyche ein soziales Produkt (ein Satz, der eine dialektische Umkehrung erlaubt, obzwar abgeschwächt nach Maßgabe des Ungleichgewichts von Ich und Welt). — Doch auch anders, auf direkterem Weg, gelangt die Interpretation zum selben Ergebnis: in genitalem Sinn leihen sich die hier gemeinten Dinge nicht nur der Psychoanalyse (als Symbole), sondern genauso (als Synonyme) der Volkssprache[44], mit der Wagner, wie noch zu zeigen, höchst vertrauten Umgang pflegte.

Noch einmal zu Hasenpoths Brief: als von einer Person des Dramas bewußt und berechnet eingesetzter, zugleich aber anonymer verweist er doch auf seinen

---

(41) Benjamin: Ursprung des deutschen Trauerspiels, S. 142.
(42) Freud: Vorlesungen ..., S. 157; Freud: Die Traumdeutung, S. 160, 194, 359.
(43) Freud: Die Traumdeutung, S. 193, 359.
(44) Borneman: Sex im Volksmund.

Urheber, dessen Name kaum von ungefähr in Humbrechts erster Reaktion anklingt: „Die Pfote mag der Teufel lesen" (61); auch hier wäre, im Freudschen Sinne, vom Wirken des Unbewußten zu reden. Und kaum von ungefähr teilt sich diesem Namen etwas Verächtliches mit; denn als Hasenfuß wird bezeichnet, wer so feige wie eben der anonyme Briefschreiber sich verhält.

Es ist zu erinnern, daß jene Dinge die je verschiedenen Räume bestücken, in denen das Drama nacheinander spielt. Dieser Wechsel begründet dramaturgisch den der (übrigens nicht in Szenen aufgelösten) Akte und vollzieht sich gemäß einer klug komponierten Symmetrie. Die mittleren, der dritte und vierte, stellen innerhalb des Humbrechtschen Hauses die Zimmer der zentralen Figuren, Gröningsecks und Evchens, einander entgegen. Umklammert werden sie von solchen, die mit der bürgerlichen Wohnstube das Innerste des Humbrechtschen Hauses selber zeigen — der fünfte Akt verlangt ausdrücklich, die Symmetrie noch unterstreichend: „Das Zimmer vom zweyten Akt" (55); und es spielt ja in der Sozialgeschichte des Bürgertums und ihrer literarischen Widerspiegelung das private Haus als Antithese zum Hof und zugleich zur Öffentlichkeit eine entscheidende Rolle[45], und so auch in diesem Drama. Die äußeren Akte aber, das machten die Requisiten bereits deutlich, markieren ein quasi unterbürgerliches Niveau, den doppelten Fall Evchens in Verführung und Kindsmord, in Kindsmord aufgrund Verführung; das Ende in der armseligen Kate ist die logische Antwort auf den Anfang im verrufenen Bordell.

Mit ihm eröffnet das Drama gleich wie mit einem Paukenschlag, und eine gezieltere Provokation, etwas sozial wie literarisch Anstößigeres läßt sich kaum denken. Dieses „Wirthshaus zum gelben Kreutz" (5) steht schon unter einem Zeichen, das ein fahles, unheimliches Leuchten über Ort und Handlung verbreitet, die wiederum seinem sakralen Ursprung Hohn sprechen (ähnlich makaber und dissonant, wenn dann die Leiche von Woyzecks Marie „am roten Kreuz"[46] liegt). Das Wo und das Was des Geschehens sind einander durchaus adäquat, und beides zusammen, vor allem jedoch das erstere, hat seit je den erbitterten Widerspruch des Publikums herausgefordert. „Die ganze Begebenheit zum gelben Kreuze ist zu schmutzig und plump, als daß man sie nur keuschen Ohren erzählen, geschweige keuschen Augen vorstellen könnte."[47] So befand K. G. Lessing, und noch Erich Schmidt schien „der fatale erst Act" „auf der Bühne schlechterdings unmöglich"[48]. Er konnte sich darin mit Wagners Zeitgenossen einig wissen, die in eben diesem ersten Akt, und später wieder in dem ihm entsprechenden letzten, lautstark nach der Zensur riefen. Obwohl sie doch das Drama, gerade des Schauplatzes wegen, nie zu sehen bekamen; aber einem Rezensenten der ‚Göttingischen Anzeigen‘ von 1777 verdarb es schon die Lektüre, als er sich dabei „in einem sehr niederträchtigen Hause"[49] fand. Hier war ein Tabu verletzt, und ebenfalls Lenz wußte von dessen Stärke und

(45) Habermas: Strukturwandel der Öffentlichkeit, S. 60—69.
(46) Büchner: Woyzeck, S. 45.
(47) Wagner/Fechner: Die Kindermörderin, S. 94.
(48) Schmidt: Heinrich Leopold Wagner, S. 98.
(49) Wagner/Fechner: Die Kindermörderin, S. 144.

gesellschaftlichem Grund: „Pfui doch! meint er ich werde ein Bordell auf der Bühne aufschlagen? auf dem deutschen Theater, wo man so überekel und geziert ist? auf keinem heutigen Theater in der Welt."[50]

Um so erstaunlicher, daß dem Autor, wenn er nun ein so berüchtigtes Haus auf die Bretter brachte, auch ein Fürsprecher zu Hilfe kam: dieses Mal im ‚Berliner litterarischen Wochenblatt' von 1776, dem Erscheinungsjahr des Skandalstücks selbst. Der Rezensent macht sich nicht nur anheischig, das Bordell gleichberechtigt neben den Hof, den normativen Schauplatz des bisherigen Theaters, zu stellen (was allein schon kühn genug wäre, wurde doch bereits dem Bürgerhaus solche Rangerhöhung bestritten); vielmehr stößt er diesen noch unter jenes hinab: „denn ein viel schlimmeres Bordell sei ein Tyrannenschloß als Sitz von Raub, Mord und Gefühllosigkeit, und im eigentlichsten Verstande ein französischer Hof, wo jede Dame mit allen Marquis kose, nur nicht mit ihrem Mann"[51]. Besser ist Wagner, ist der Sturm und Drang auch post festum selten aufgefaßt worden; nämlich aus seiner bedingungslosen, radikal politischen Opposition gegen eine Gesellschaftsschicht, in deren Willkür und Zeremoniell er die bare, lügenhafte Unnatur verkörpert sah. Den Spuren dieser Opposition und des ihr untrennbar verbundenen positiven Engagements für Natürlichkeit um jeden Preis wird auch weiterhin zu folgen sein. Sie lassen sich, um es zu wiederholen, noch dem scheinbar selbstverständlichen dramatischen Detail abmerken, wie die Wahl des Ortes eines ist; könnte sie doch im Vorschein jenes „Friede den Hütten! Krieg den Palästen!"[52] getroffen sein, das den französischen Revolutionären als Parole und einer deutschen Revolutionsschrift, der Büchners, als Motto diente.

Zuvor jedoch, und bevor die Untersuchung von dem Raum und den Dingen zu den Personen und der Sprache übergeht, ist der Punkt zu bezeichnen, den sie an dieser Nahtstelle umkreist: der Begriff des Milieus. Denn wo und womit, mit wem und wie der Einzelne seinem Leben Ausdruck gibt, leitet sich aus seiner sozialen Zugehörigkeit her, die sich in jenen Realien nicht bloß theatralisch veranschaulicht, sondern, als ein Abstraktum, überhaupt erst materialisiert. Im Milieu, das ihn, einen also Entmündigten und Entrechteten, gefangen hält, verbünden sie sich zur unheiligen Allianz. Wie für den hier gemeinten ‚Hofmeister' gilt auch für die ‚Kindermörderin': „Die Deduzierbarkeit aus dem Milieu ist das ästhetische Integral des Spiels, das sich bei jedem seiner Elemente als das organisierende Prinzip durchsetzt."[53] Und umgekehrt enthüllt jedes dieser — die dramatische Form konstituierenden — Elemente, ob etwa Wohnung, Kleidung oder Sprache, die mit ihm gesetzte Person als unselbständige, als Vertreterin eines im Ensemble des Milieus konkret gewordenen Sozialstatus. Lange vor dem Naturalismus, doch mit kaum geringerer Ostentation hat der Sturm und Drang auf solche Bedingtheit aufmerksam gemacht: eine bedenkenswerte und keineswegs zufällige literarhistorische Parallelität,

(50) Lenz: Verteidigung . . ., S. 409.
(51) Zit. nach Schmidt: Heinrich Leopold Wagner, S. 135 (Anm. 64).
(52) Büchner: Der Hessische Landbote, S. 35.
(53) Mattenklott: Melancholie . . ., S. 149 f.

was schon der hier wie dort gebrauchte Dialekt, oder die hier wie dort gleich detaillierten Bühnenanweisungen zu bestätigen vermöchten. In diesen geschieht die Festlegung der Person auf ihr räumliches als soziales Ambiente, damit auf ein kollektives und so fremdes statt eines individuellen. „Die Bedingung, unter der es nun ins Blickfeld rückt, ist seine Entfremdung. [...] Hier ist es nicht mehr selbstverständlich verfügbar, sondern verfügt über die, die darin wohnen."[54] Insgesamt erscheinen die Personen durchs Milieu determiniert[55], ihre Handlungen demgemäß unverantwortet und entschuldbar. Doch bedeutet das nicht lediglich ein Äußeres: in ihrem Inneren trägt Evchen ein getreues Spiegelbild der bürgerlichen Welt, die sie umgibt. Das Milieu ist Evchens Bühne und Regisseur zugleich; Konkretisierung einer geschichteten Gesellschaft, welch letztere der dramatische Verlauf in Frage stellt.

7.4. Personen

> Hier hingegen kommen die Menschen nicht nur als Menschen vor, sondern als Repräsentanten bestimmter sozialer Lagen.
>
> Georg Lukács[1]

Erst indem sie handeln und sprechen, treten die Personen als konkrete aus der Abstraktheit ihres dem Drama vorangestellten Verzeichnisses (4) heraus. Von ihrer Sprache wird im Anschluß zu sprechen sein; gehandelt wurde bereits davon, daß das Was, Wann und Wo der Handlung sie nur wenig sich entfalten läßt. Zeit und Raum spielen mit den Personen, statt umgekehrt. „Sie sind eingepflanzt in ein genaues Hier und Jetzt"[2], eine räumliche und zeitliche Situation, die sie von allen Seiten bedrängt und beengt, ihnen die Distanz nimmt, aus der sie das ihnen Widerfahrende unbefangen überschauen und reflektieren könnten. Sie sind alles andere als autonom.

Die Hauptperson zumal, aber nicht nur sie allein reagiert statt zu agieren, leidet statt zu handeln. Ihre Aktion erweist sich in einem paradoxen Sinne als Passion, die, durch die Form des Dramas aufgesplittert, als eine Reihe von „Passionsstationen"[3] erscheint. Nicht nur von ungefähr endet im ,Woyzeck' Maries Weg an einem Kreuz, und der Evchens beginnt gleich unter diesem Zeichen. Auch als Märtyrerdrama[4] gibt das bürgerliche Trauerspiel seine enge Verwandtschaft mit dem barocken (sowie dessen mittelalterlichen Quellen) zu erkennen, denn noch die „Aura seiner Helden zehrt von der des christlichen Märtyrers"[5]. Von der auch Werther umgeben ist: unübersehbar ist

---

(54) Mattenklott: Melancholie ..., S. 128.
(55) Rameckers: Der Kindesmord ..., S. 106 f.
(1) Lukács: Zur Soziologie des modernen Dramas, S. 281.
(2) Klotz: Geschlossene und offene Form ..., S. 140.
(3) Höllerer: Lenz: ,Die Soldaten', S. 142.
(4) Benjamin: Ursprung des deutschen Trauerspiels, S. 63—69.
(5) Mattenklott: Melancholie ..., S. 147.

auch er in die Nachfolge des Leidens Christi gestellt.[6] (Und folgerichtig tritt auch die zweite Hauptfigur des alten Spiels, der Intrigant[7], ins Zentrum dieses neuen: Hasenpoth ist Evchens eigentlicher Kontrahent.) Daß die Marthan ihrem Schützling den ‚Himmels- und Höllenweg' zur Erbauung empfiehlt, ein obskures Traktat wohl pietistischer Provenienz[8], welches ihr Mann „in seiner letzten Krankheit fast auswendig gelernt" (73) hat — dies ist nicht nur eine ironische Antwort auf Evchens frühere Young-Lektüre, sondern auch eine religiöse Anspielung auf Evchens eigenen, vom Drama nachgezeichneten Weg zwischen Liebe und Leid, als ihr Martyrium. Dessen Stigma entstellt sie so sehr wie ihre Nachfahrinnen in gleicher Lage, Hebbels Maria Magdalene und vor allem Hauptmanns Rose Bernd, die, nach getanem Kindesmord, diesen rechtfertigt mit dem Satz: „'s sullde ni meine Martern derleida!"[9]; und die der letzte Satz des Dramas charakterisiert mit den Worten: „Das Mädel ... was muß die gelitten han!"[10] Sie könnten ebenfalls für Evchen gelten; was immer sie tut, sie ist nicht Täter, sondern Opfer.

Wie das Drama insgesamt und wie jedes seiner Teile haben auch seine Personen etwas Unfertiges, Bruchstückhaftes; indem sie so sind, machen sie aufmerksam darauf, daß sie unter anderen Umständen anders sein könnten, daß sie müssen und nicht dürfen, wie sie wollen. Gleich Marie aus den ‚Soldaten' ist Evchen ein „Fragment vor dem Hintergrund einer visionären Vollkommenheit"[11], und durch sie und ihresgleichen erzielt das Drama, als auch in diesem Sinne offenes, „das äußerste an moralischer Wirkung [...]: weil es dem Zuschauer nicht nur Idealtypen vorhält, sondern ihn aktiviv auf ein unausgesprochenes, ausgespartes Idealbild hin"[12].

Jene Vollkommenheit aber ist den Personen verwehrt in der unvollkommenen Gesellschaft, an der sie leiden. Mit tiefer Bedeutung zeigt dies sich an, wenn Evchen, in einem verzweifelten Rückgriff aufs Genoveva-Motiv, einen Ausbruch aus eben der Gesellschaft erwägt, die sie nicht ändern kann: „die grauenvollste Wildniß würde ich aufsuchen, von allem was menschliches Ansehn hat entfernt, mich im dicksten Gesträuch vor mir selbst verbergen, nur den Regen des Himmels trinken, um mein Gesicht, mein geschändetes Ich nicht im Bach spiegeln zu dürfen" (52). Es wäre (das hier wiederkehrende melancholische Spiegel-Motiv einmal beiseite gelassen) eine Flucht vor „dem ganzen Gewicht der Schande, die mich erwartet, dem Zorn meiner Anverwandten, der Wuth meines Vaters" (52), und deutlich genug ist ihr Grund benannt: durch Schuld begründete Schande, der im Subjektiven die Scham entspricht. Das fünfmalige

(6) Scherpe: Werther und Wertherwirkung, S. 74.
(7) Benjamin: Ursprung des deutschen Trauerspiels, S. 93—98; Heckmann: Elemente des barocken Trauerspiels, S. 101—116; Zorn: Die Motive der Sturm- und Drang-Dramatiker, S. 50 ff.
(8) Stadelmann/Fischer: Die Bildungswelt ..., S. 179—181.
(9) Hauptmann: Rose Bernd, S. 258.
(10) Hauptmann: Rose Bernd, S. 259.
(11) Höllerer: Lenz: ‚Die Soldaten', S. 141.
(12) Höllerer: Lenz: ‚Die Soldaten', S. 141.

„Ich hoa mich geschaamt!"[13] wiederum der Rose Bernd motiviert zugleich Evchen Humbrechts Tat, und zwar als innerer Reflexion eines unabänderlichen äußeren Verhängnisses. — Ein Ausblick mag die Tragweite dieser Begriffe verdeutlichen, insofern sie den Weg der Handlung im Wesen der Personen fundamentieren. Ihr inniger Zusammenhang wird wörtlich auch vom ,Zerbin' des Lenz belegt:

> „O Richter, Richter, habt ihr die Gefühle eines jungen Mädchens je zu Rath gezogen, wenn ihr über ihre That zu sprechen hattet! Ahndet ihr, was das heist, seine Schande einer andern entdecken, was für Ueberwindung das kostet, was für ein Kampf zwischen Tod und Leben in einer weiblichen Seele, die noch nicht schamlos geworden ist, da entstehen muß?"[14]

Und Maler Müllers Idylle ,Das Nuß-Kernen' trifft am selben Gegenstand denselben Punkt, wenn es von der Heldin, erneut mit antigesellschaftlicher Genoveva-Parallele, nachdrücklich heißt:

> „Hätte sie das Kind allein in einer Wüste, unter wilden Thieren zur Welt bracht, gewiß hätte sie es nicht ermordet. O Menschen, Menschen! Ihr seyd ärger, als Thiere! Hätte das ganze Dorf nicht mit boshaften Augen das arme Mädchen zuvor so bewacht, allen Schimpf und Schand' vorbereitet, die sie im Fall zu erwarten hatt' . . ."[15] „Wo soll so ein armes Kind die Kraft hernehmen, dem zischelnden Hohngelächter einer Welt zu begegnen? Absonderlich, wenn sie unter den Klauen unempfindlicher, unbarmherziger Anverwandten sich befindet, die, statt sie zu trösten und ihren Schmerz zu lindern, durch ihre Vorwürfe sie noch mehr zerrütten und desto sicherer der Verzweiflung entgegen treiben. Die Schande ist gar zu arg, zu weit!"[16]

Hierin wird gesellschaftliche Wirklichkeit widergespiegelt: bei der schon des öfteren erwähnten, durch Ferdinand von Lamezan 1780 ausgeschriebenen Preisfrage „Welches sind die besten ausführbaren Mittel, dem Kindermord abzuhelfen ohne die Unzucht zu begünstigen?"[17] — sie erbrachte über 400 Einsendungen — trug ein Kammerrat Klippstein aus Darmstadt den Sieg davon, indem er das Verbrechen auf seine Ursachen zurückführte und zu deren Beseitigung aufforderte; an erster Stelle rangiert bei ihm die Scham vor der Welt, dann die Furcht vor strengen Eltern oder Verwandten, der Haß auf den untreuen Verführer, der Mangel an Mitteln für sich und das Kind[18]; keines dieser Motive, das sich nicht in der ,Kindermörderin' wiederfände — als ob der Herr Rat sie gelesen hätte. „Wie konnt ich sonst so tapfer schmälen, / Wenn tät ein armes Mägdlein fehlen! / Wie konnt ich über andrer Sünden / Nicht Worte gnug der Zunge finden! / Wie schien mir's schwarz, und schwärzt's noch gar, / Mir's nimmer doch nit schwarz gnug war"[19]: so spricht Gretchen im ,Urfaust';

---

(13) Hauptmann: Rose Bernd, S. 244.
(14) Lenz: Zerbin . . ., S. 163.
(15) Müller: Das Nuß-Kernen, S. 99.
(16) Müller: Das Nuß-Kernen, S. 101 f.
(17) Rameckers: Der Kindesmord . . ., S. 82.
(18) Rameckers: Der Kindesmord . . ., S. 85 f.
(19) Goethe: Urfaust, S. 410.

ihrem offenkundigen Vorbild[20], der Frankfurter Kindsmörderin Brandt, kam die Verteidigungsschrift des Dr. Schaaf mit folgendem Argument zu Hilfe: „Die Ihr geraubte Ehre, dieses schätzbare Kleinod, welches billig dem Werth des Lebens gleich geachtet wird, die WiederErlangung desselben, oder eigentlicher zu reden, die Verbergung der Schande, war der Hauptbewegungs-Grund Ihres Verbrechens."[21]

Keinen Augenblick lang geriet die Person der Evchen Humbrecht, als eine fiktive Repräsentation ungezählter realer, hier außer Sicht. In einem Äußeren, das sie leitet, sind sie und ihre dramatischen Mitspieler unentrinnbar gefangen und gebunden: in einem Gesellschaftlichen. Darauf bereitet schon, noch bevor sie reden oder handeln, das Personenverzeichnis vor, das mit den Namen zugleich Beruf und Stand angibt. War schon früher bemerkt worden, daß die Handlung des sozialen als notwendig offenen Dramas, statt absolut zu sein, über sich hinaus auf empirische Verhältnisse und Zustände verweist, diese am Beispiel repräsentiert, so gilt gleiches auch für die handelnden Personen. Unselbständig sind sie nicht allein in dem, was sie tun (oder sagen), sondern schon in ihrem bloßen Sein; denn indem sie „immer als Vertreter ihres Standes"[22] gesehen werden, stehen sie zunächst für diesen ein, und nicht für sich selber; die individuelle Person weicht dem sozialen Typus.

Die Frage, für welchen Stand der Sturm und Drang vor allen sich interessierte, ist längst beantwortet: im historischen Prozeß schlug die Stunde des Bürgertums; ihm gehörten die Autoren durch eigene Herkunft an, ihm schrieben sie mit großem Nachdruck die neue Form des Trauerspiels zu. Doch sind, was meist übersehen wird, die Begriffe des Stands wie des Bürgertums gleichermaßen problematisch.

„Stand — wie schon der Name sagt — ist etwas, worin man stehenbleibt [...]. Klasse hingegen ist Stufe in einer Stufenfolge, in einem Entwicklungsprozeß. Auf einer Stufe bleibt man auf die Dauer nicht stehen, man steigt auf oder ab. Standesbewußtsein ist natürlicherweise konservativ, Klassenbewußtsein ebenso natürlicherweise revolutionär, denn es entwickelt sich aus dem Protest der in der sozialen Gliederung Untenstehenden, die aufsteigen wollen. — Das Bürgertum des 18. Jahrhunderts ist kein Stand mehr, sondern eine Klasse, gleichviel, wie weit dies dem einzelnen schon bewußt wird."[23]

Dieses vom statischen zum dynamischen gewandelte Bewußtsein, diese Idee der sozialen Entwicklung kennzeichnet auch die bürgerliche Zentralfigur des Wagnerschen Dramas, den alten Humbrecht, von dem es heißt, er habe „den ganzen Trotz seiner Klasse, die sich eben erst zu fühlen beginnt, die sich schon besser als alle weiß, welche einstweilen noch über sie herrschen, die darauf pocht, daß jetzt ihre Begriffe die rechten werden. Es ist der kleine Bürger, im Steigen dargestellt"[24]. Zwar sagt er, als der Magister die „Personen vom

(20) Birkner: Leben und Sterben . . ., S. 10 f.
(21) Zit. nach Birkner: Leben und Sterben . . ., S. 85.
(22) Genton: Lenz — Klinger — Wagner, S. 11.
(23) Greiner: Die Entstehung der modernen Unterhaltungsliteratur, S. 20.
(24) Bahr: Sturm und Drang, S. 417; ebenso: Schmidt: Heinrich Leopold Wagner, S. 71, 83; Stadelmann/Fischer: Die Bildungswelt . . ., S. 67—93.

Stande" (21) als Kronzeugen für die Unbedenklichkeit des Ballbesuchs heranzieht: „Was scheeren mich die mit samt ihrem Stand? — ich hab auch einen Stand, und jeder bleib bey dem Seinigen!" (21); aber schon in dieser Selbstsicherheit, und vollends in seiner direkt danach gerittenen Attacke auf die „vornehmen Herren und Damen, Junker und Fräuleins, die vor lauter Vornehmigkeit nicht wissen, wo sie mit des lieben Herrgotts seiner Zeit hinsollen" (22) — vollends darin macht sich der Gedanke geltend, daß er diesen zumindest nicht unterlegen sei. Als Überlegener, ja schon als Gleicher, Gleichgewordener opponiert er im Namen der klassenspezifischen Aufstiegsidee gegen die kanonisierte Gesellschaftsstruktur. Anders, und falsch, seine Frau, die sich dem Adel unter Preisgabe ihrer Bürgerlichkeit imitatorisch angleichen möchte; wiederum anders seine Tochter, die, um mit Schillers Luise Millerin zu reden, mit ihrer Liebe zu einem Adligen „die Schranken des Unterschieds" und „all die verhaßten Hülsen des Standes"[25] in Frage stellt. Auf dreifache Weise also zeigt dieses Drama an, daß die bestehenden Verhältnisse in Fluß gekommen sind, insofern nämlich der Bürger nicht länger bei seinem Leisten bleibt. Es reflektiert derart die Epoche, „in welcher das Bürgertum seine großen Positionen bezog"[26] — sie freilich auch, nach mißlungener Verteidigung in praxi, räumte; womit die Klasse wieder zum Stand und der citoyen wieder zum bourgeois wurde. Bei Sternheims Herrn Maske sollte enden, was bei Wagners Meister Humbrecht begann.

Nicht minder fragwürdig als der Begriff des Standes ist der des Bürgertums selber. „Es war eine so vielfältig zusammengesetzte, aus so differenzierten Elementen bestehende Klasse, daß seine Auflösung von Anfang an zu drohen schien."[27] Handwerker und Kleingewerbler, Mediziner und Advokaten, Bankiers und Fabrikanten, Staatsbeamte und Handelsherren kamen (nur beispielsweise) unter diesem Namen zusammen, oder gingen vielmehr auseinander: so sehr, daß eine „Heirat zwischen den oberen und unteren Gruppen [...] beinahe genauso selten wie zwischen Adel und Bürgertum"[28] stattfand. Die Brüche im Bürgertum werden noch dort deutlich, wo Frau Humbrecht, die ja gewiß nicht an dessen oberen Rand gehört, „Gärtners und Leinwebers Töchtern" (23) einen abwertenden Seitenhieb erteilt; oder wo Frau Marthan aus der Wäscherinnen- und Dienstbotenperspektive von ihren Mitbürgern als „den Herrschaften" (73) spricht.

Statt vom Stand des Bürgers ist demnach von der Klasse der Bürger zu sprechen. Diese aus dem sozialhistorischen Kontext, somit von außen ans Drama herangebrachte Begriffsklärung, die sich gleichwohl immer auf Belege in ihm

(25) Schiller: Kabale und Liebe, S. 765.
(26) Benjamin: Deutsche Menschen, S. 8.
(27) Hauser: Sozialgeschichte der Kunst und Literatur, S. 614; ebenso: Bruford: Germany in the Eighteenth Century, S. 49, 192, 230, 233; Seraphim: Deutsche Wirtschafts- und Sozialgeschichte, S. 111—114; Stadelmann/Fischer: Die Bildungswelt..., S. 38—66; Scherpe: Werther und Wertherwirkung, S. 16—19; Conrady: Über 'Sturm und Drang'-Gedichte Goethes, S. 127—129; Schaer: Die Gesellschaft im deutschen bürgerlichen Drama..., S. 27 f.
(28) Pascal: Der Sturm und Drang, S. 79.

selber hat stützen können, war notwendig als die Folie, vor der Wagners Personal sich erst verstehen läßt. Erhebt er darin doch nicht nur, nach Art des Sturm und Drang, das Bürgertum zu literarischen Ehren, sondern, mutiger noch, dessen tiefste Schicht; was er freilich mit den prominenteren Vertretern der Bewegung gemein hat, die denselben Randsiedlern sich zuwandten, durchaus kritisch zwar und ohne falsche Idealisierung, mit „Bewunderung für ihren trotzigen Unabhängigkeitswillen, zugleich aber auch Spott über ihre Beschränktheit"[29]. Das hat jedoch einschneidende Konsequenzen für die Rezeption der Stücke beim Publikum und erklärt ein weiteres Mal, warum es sich provoziert fühlen mußte; denn ihm traten auf der Bühne nun diejenigen sympathieheischend gegenüber, die es außerhalb des Theaters mit Verachtung strafte und in ihm auch auf den Nebensitzen nicht geduldet hätte. (In den ‚Soldaten' ist es die Marie, Tochter eines kleinen Händlers, „nicht gewohnt, in die Komödie zu gehen"[30], um so weniger der Vater selbst.) Anfechtbar wird angesichts dessen, zumindest für Wagner und seinesgleichen, der meist nur in einem vagen Begriff vom Bürgertum begründete „für die Geschichte der Theorie des bürgerlichen Trauerspiels entscheidende Gedanke, daß die Wirkung der Tragödie von der Identität des sozialen Standes von Held und Zuschauer abhänge"[31]; deren Blick wird hier vielmehr, wenngleich innerhalb eben des Bürgertums, entschieden nach unten gelenkt. Schon dadurch übrigens, daß er einem Mädchen gilt, welches, wie Weseners Marie, auf der Bühne und im Zuschauerraum vordem fehl am Platze war; denn innerhalb der sozialen Schichten standen die Frauen jeweils noch am tiefsten. So ist Hasenpoths Wort: „ein Weibsbild ist halt ein Weibsbild!" (35) zu Recht als typischer Ausdruck „der damals in weiten Kreisen herrschenden Nichtachtung"[32] verstanden worden, gegen die der Sturm und Drang dann programmatisch antrat.[33] Mit Bedacht also hat Wagner in Evchen Humbrecht eine in verschiedener Weise unterprivilegierte Person zur Heldin erhoben, und weder von der ‚Kindermörderin' noch vom gesamten bürgerlichen Trauerspiel gilt das auf den Helden des offenen Dramas gemünzte Wort, wonach „seine Standeszugehörigkeit [...] irrelevant"[34] sei. Sie macht statt dessen so sehr sein Wesen aus, daß er kein individuelles mehr hat und der Begriff des Helden sich überhaupt ins Gegenteil verkehrt.

Doch damit nicht genug; Wagner ist noch weit darüber hinaus (eigentlich: darunter hinab) gegangen, hat, wie dies bisher nur an Lenz gerühmt wurde, den „Weg zu den kleinen Leuten"[35] angetreten und Partei ergriffen „für die, die noch kein Drama aus ihrer nummernhaften Gesichtslosigkeit erlöst hatte, für die Personen einer unterbürgerlichen Schicht"[36]. Wo ein Waschweib, eine

(29) Pascal: Der Sturm und Drang, S. 80 f.; ebenso: Löwenthal: Erzählkunst und Gesellschaft, S. 41; Lepenies: Melancholie und Gesellschaft, S. 82.
(30) Lenz: Die Soldaten, S. 187.
(31) Szondi: Die Theorie des bürgerlichen Trauerspiels . . ., S. 94.
(32) Zorn: Die Motive der Sturm- und Drang-Dramatiker, S. 58.
(33) Pascal: Der Sturm und Drang, S. 85—89.
(34) Klotz: Geschlossene und offene Form . . ., S. 137.
(35) Mayer: Lenz oder die Alternative, S. 819.
(36) Höllerer: Lenz: ‚Die Soldaten', S. 143.

Dienstmagd und eine Dirne dargestellt werden, fällt durchaus freundliches Licht ins Souterrain der Gesellschaft. Neben Wagner hat, wie gesagt, nur Lenz dieses Programm einzulösen begonnen, es aber zugleich unmißverständlich formuliert; er, „der stinkende Athem des Volks"[37]. So nannte er sich selbst in einem Brief, den er 1775 an Herder schrieb, und in einem anderen aus demselben Jahre rechtfertigte er sich und sein naturalistisches Konzept gegenüber Sophie von La Roche: „Überhaupt wird meine Bemühung dahin gehen, die Stände darzustellen, wie sie sind; nicht, wie sie Personen aus einer höheren Sphäre sich vorstellen"[38]; sondern, noch einmal, wie sie „wirklich in der Natur"[39] vorkommen. Ähnliches Interesse an beiden, den „kleinbürgerlichen und plebejischen Schichten"[40], war nicht einmal im Sturm und Drang sehr verbreitet; allenfalls motivierte es noch, zwar unter hauptsächlich folkloristischem Aspekt à la Herder[41], die Versuche Bürgers, „das Volk im Ganzen"[42] kennenzulernen, sowie die elsässischen Streifzüge und Entdeckungsreisen des jungen Goethe[43], seine Kontakte mit eben der „Klasse, die wir die niedere nennen, die aber gewiß vor Gott die höchste ist"[44] (so seine eigenen Worte). Lenz und Wagner taten das Ihre, sie auch vor der Welt zu rehabilitieren.

In seinem ‚Pandämonium Germanicum' hat Lenz sich selber vorkommen lassen und, mit charakteristischem Zug nach unten, die Klage in den Mund gelegt: „Ach ich nahm mir vor hinabzugehn und ein Maler der menschlichen Gesellschaft zu werden: aber wer mag da malen wenn lauter solche Fratzengesichter unten anzutreffen."[45] Nie jedoch vergaß er, diese nicht als angeborene, sondern erworbene Entstellungen zu sehen: als Ausdruck des Schmerzes unterm gesellschaftlichen Druck. (Insoweit behält noch das Fehlurteil sein Recht, welches heißt, das Theater des 18. Jahrhunderts möge „sich noch so kritisch, ja, revolutionär gebärdet haben — das Volk spielt entweder gar keine Rolle darin oder eine miserable"[46]; konnte es doch dort gar keine andere spielen als in der Realität, deren getreues Abbild eben das Theater sein wollte.) Das macht sogar die Figur der Hure Marianel deutlich, die, obwohl sie und die Bordellwirtin als „ekle Vertreterinnen der niedrigsten Gemeinheit"[47] denunziert wurden, nicht ohne Sympathie gezeichnet ist; weder Mitgefühl — „wie ich ihn heimlich zur Hinterthür herein ließ, und wie ich ihm Thee kochte" (8) — noch Rechtsgefühl — „meynst ich hab kein Gewissen" (9) — gehen ihr gänzlich ab. Sogar

(37) Briefe von und an J. M. R. Lenz, S. 124.
(38) Briefe von und an J. M. R. Lenz, S. 115.
(39) Briefe von und an J. M. R. Lenz, S. 115.
(40) Kollektiv für Literaturgeschichte: Erläuterungen zur deutschen Literatur, S. 19; ebenso: Mayer: Lenz oder die Alternative, S. 806; Krauss: Über die Konstellation der deutschen Aufklärung, S. 381.
(41) Balet/Gerhard: Die Verbürgerlichung der deutschen Kunst . . ., S. 450.
(42) Bürger: Über Volkspoesie, S. 46.
(43) Girnus: Goethe, der größte Realist deutscher Sprache, S. 16.
(44) Zit. nach Weißenfels: Goethe im Sturm und Drang, S. 214.
(45) Lenz: Pandämonium Germanicum, S. 260.
(46) Melchinger: Geschichte des politischen Theaters, S. 215.
(47) Schmidt: Heinrich Leopold Wagner, S. 82 f.

sie, am untersten Ende der sozialen Skala lokalisiert, ist eher Opfer statt Täter, eher Objekt statt Subjekt und daher frei von Schuld: „wenn keine Hurenbuben wären; so gäbs lauter brave Mädels. [...] erst schnitzt ihr euch euren Herrgott, dann kreuzigt ihr ihn" (9). Dies erinnert an Lenz und seine ,Soldaten', wo, auf Haudys böse These: „Eine Hure wird immer ein Hure"[48], Eisenhardt entgegnet: „eine Hure wird niemals eine Hure, wenn sie nicht dazu gemacht wird."[49] Und mit ersichtlicher Parallele sagt Evchen von Gröningseck, er habe sie „zur Hure gemacht" (17). Bezeichnenderweise wird hier den Prostituierten dasselbe Verständnis zuteil wie anderswo, in Humbrechts Wort und Tat (63 f.), den Bettlern: beides im 18. Jahrhundert weitverbreitete Erscheinungen[50], beides Beispiel dafür, daß Unschuldige gesellschaftlich unter die Räder kommen und deformiert werden.

Schuld am Leid der Unteren, das zeigte bereits die Konfrontation zwischen Marianel und Gröningseck, sind zuvörderst die Oberen; gegen diese richtet sich daher die Kritik, die jenen erspart bleibt. Denn Gröningseck (samt seinem alter ego Hasenpoth), durch die Privilegien des Offiziersstandes[51] und des Landbesitzes[52] zusätzlich als Aristokrat kenntlich gemacht, trägt die primäre Verantwortung für das Geschehen. Hier ist der Punkt, wo im 18. Jahrhundert die sonst streng gegeneinander abgedichteten Klassen am konflikthaftesten sich berührten: wo immer (mangels Kasernen) im bürgerlichen Haus ein adliger, zudem französisch inspirierter, zudem zur Ehelosigkeit gezwungener Offizier einquartiert war.[53] Den letztgenannten Umstand hat Lenz mit seinen ,Soldaten' und der zugehörigen Denkschrift ,Über die Soldatenehen' zu mildern versucht, als er die Gründung einer „Pflanzschule von Soldatenweibern"[54] vorschlug; ihn illustriert auch das zeitgenössische Lied: „Wenn man mehr als eine / Zur Geliebten hat / Und nimmt gleichwohl keine / So macht's der Soldat."[55] (Freilich mag auch die andere Seite der Faszination des Militärischen oft und gern erlegen sein; oder: „Was zieht das Mädchen unwiderstehlich zum Soldaten? Daß er Unschuldigen etwas antun und Blut vergießen muß."[56] Unübersehbar genug wird dieser Mißstand immer wieder literarisch aufgegriffen; noch Schiller macht, zehn Jahre nach Wagners Drama, keine Ausnahme.

„Hunger und Elend sprach aus ihrer Bedeckung, eine schändliche Krankheit aus ihrem Gesichte, ihr Anblick verkündete die verworfenste Kreatur, zu der sie erniedrigt war.

---

(48) Lenz: Die Soldaten, S. 191.
(49) Lenz: Die Soldaten, S. 191.
(50) Rameckers: Der Kindesmord ..., S. 11; Balet/Gerhard: Die Verbürgerlichung der deutschen Kunst ..., S. 288—290; Möller: Die kleinbürgerliche Familie ..., S. 293—296.
(51) Bruford: Germany in the Eighteenth Century, S. 49.
(52) Bruford: Germany in the Eighteenth Century, S. 52.
(53) Schmidt: Heinrich Leopold Wagner, S. 78; Froitzheim: Lenz, Goethe und Cleophe Fibich von Strassburg, S. 81; Rameckers: Der Kindesmord ..., S. 10; Schaer: Die Gesellschaft im deutschen bürgerlichen Drama ..., S. 68—70.
(54) Lenz: Die Soldaten, S. 246.
(55) Zit. nach Stockmeyer: Soziale Probleme ..., S. 114.
(56) Schweppenhäuser: Verbotene Frucht, S. 127.

Ich ahndete schnell, was hier geschehen sein möchte; einige fürstliche Dragoner, die mir eben begegnet waren, ließen mich erraten, daß Garnison in dem Städtchen lag. 'Soldatendirne!' rief ich und drehte ihr lachend den Rücken zu."[57]

Bei Lenz, um zum genannten Stück zurückzukehren, hat Eisenhardt „die Anmerkung gemacht, daß man in diesem Monat keinen Schritt vors Tor tun kann, wo man nicht einen Soldaten mit einem Mädchen karessieren sieht"[58]; und schon vorher hat er, mit geschärfter Spitze gegen die Offiziere, behauptet, diese brächten „Unglück und Fluch in die Familien"[59], worauf ihm freilich der Obrist mit einigem Zynismus entgegnete: „Welche Familie ist noch je durch einen Offizier unglücklich geworden? Daß ein Mädel einmal ein Kind kriegt, das es nicht besser haben will."[60] Selbst die Gräfin schließt sich solcher Kritik an den eigenen Standesgenossen an: „Die Liebe eines Offiziers [...] — eines Menschen, der an jede Art von Ausschweifung, von Veränderung gewöhnt ist, der ein braver Soldat zu sein aufhört, sobald er ein treuer Liebhaber wird, der dem König schwört es nicht zu sein und sich dafür von ihm bezahlen läßt."[61] Und noch einmal Lenz, jetzt im ‚Hofmeister': „aber mit den Offiziers — Die machen einem Mädchen ein Kind und kräht nicht Hund oder Hahn danach: das macht, weil sie alle kuraschöse Leute sein und sich müssen totschlagen lassen. Denn wer Courage hat, der ist zu allen Lastern fähig."[62] All dem entspricht, was Friedrich Rudolf Salzmann, ein prominentes Mitglied des Straßburger Kreises, zu Protokoll gab: die bürgerlichen Familien verschlössen sich den Offizieren, denn „man fürchtet die üblen Nachreden"[63]. Ganz wie der alte Wesener, bevor Desportes seine Tochter ins Theater begleitet: „das würde nur Gerede bei den Nachbarn geben"[64]; und wie der alte Humbrecht, nachdem Gröningseck seine Tochter zum Ball begleitet hat, aber nun mit genauer, von ihm selbst freilich verdrängter Kenntnis des Grundes, auf dem die Gerüchte gedeihen: „Wenn denn vollends ein zuckersüßes Bürschchen in der Uniform, oder ein Barönchen [...] ein Mädchen vom Mittelstand an solche Örter hinführt, so ist zehn gegen eins zu verwetten, daß er sie nicht wieder nach Haus bringt, wie er sie abgeholt hat" (22). — Es ging hier um die Offiziere in Wagners ‚Kindermörderin'; darum, mit diesen gewiß noch unvollständigen Belegen nicht nur aufs neue seine Beziehungen zu Lenz und dem gesamten Sturm und Drang aufzudecken[65], sondern auch, daß er Gröningseck und seinesgleichen als typische Repräsentanten ihres Standes (und das heißt: des Adels[66]) darstellt; dieser schreibt sogar ihnen, den scheinbar Ungebundenen, bis ins Kleinste ihre Rolle vor. Zwar sind sie das Leid der ihnen Unterlegenen, doch in ihnen ist, wie

(57) Schiller: Der Verbrecher aus verlorener Ehre, S. 20.
(58) Lenz: Die Soldaten, S. 217.
(59) Lenz: Die Soldaten, S. 191.
(60) Lenz: Die Soldaten, S. 191.
(61) Lenz: Die Soldaten, S. 227.
(62) Lenz: Der Hofmeister ..., S. 79.
(63) Zit. nach Froitzheim: Goethe und Heinrich Leopold Wagner, S. 49.
(64) Lenz: Die Soldaten, S. 187.
(65) Bruford: Theatre, Drama and Audience in Goethe's Germany, S. 186 ff.
(66) Schmidt: Heinrich Leopold Wagner, S. 88 f.

jene Duell-Affäre schon zeigte, die Determination ihrer sozialen Zugehörigkeit, der sie selber unterliegen. Fiskal, Fausthämmer und Blutschreyer können vorerst außer Betracht bleiben; weit mehr als alle anderen sind sie entpersönlicht und auf bloße Amtswalter und Funktionsträger reduziert. Dann aber ist immer noch von einer Figur des Dramas nicht gesprochen worden: vom Magister — auch deswegen, weil er auf keiner der sozialen Ebenen so recht sich einordnen läßt. Doch genau dies ähnelt ihn der Stellung des Autors selber an; von allen bürgerlichen Intellektuellen waren im 18. Jahrhundert die protestantischen Theologen die ärmsten und verachtetsten[67]; und wie die empörte Humbrechtin dem Magister bis ins Detail vorrechnet, hätte er ohne die dauernde Hilfe ihrer Familie „ja mit samt seinen Stipendien doch nit können prumoviren" (60). Durchs Bildungsprivileg seiner Klasse entfremdet und doch in keiner anderen heimisch[68], vertritt der junge Kleriker hier den als zentral erkannten Typ des Hofmeisters, als welcher seinesgleichen oft fungieren mußte (und welche Rolle der Magister bei den Humbrechts auch spielt, damit ein weiteres Mal deren am Adel ausgerichteten Aufstiegswillen anzeigend); nicht von ungefähr verspricht ihm ja der Leutnant „die erste Hofmeisterstelle, die ich zu vergeben habe" (25). So vertritt er zugleich den Autor im Stück; wie dieser[69] hat er, was mit Isolation gewiß teuer erkauft ist, am beschränkten Blickwinkel der Gesellschaftsschichten keinen wesentlichen Anteil, und ebenfalls nicht an dem zwischen ihnen ausbrechenden Konflikt — es sei denn dadurch, daß des Magisters allerdings vage Zukunftshoffnung auf Evchen (59, 65) von Gröningseck/Hasenpoth zunichte gemacht und er derart ein zusätzliches Opfer adliger Willkür wird. Dennoch geht er als der aufgeklärte Beobachter und Kommentator[70] durch die Szenen, immer bereit, zu schlichten und die verschlungenen Fäden zu entwirren (22, 57 ff., 81 ff.), vermöge seiner Distanz zum dramatischen Geschehen. Vollends seine Reformgedanken über Klerus (25), Pädagogik (26 f.) und Duell (41 f.) machen ihn zu einem Sprachrohr des Sturm und Drang, so auch Wagners. Freilich, die Gleichung scheint nicht ganz aufzugehen: trägt der Magister mit seinem zuweilen trockenen „exegesiren" und „demonstriren" (21) doch einen deutlichen Zug des vom selben Sturm und Drang als dogmatisch, pedantisch, formalistisch verschrieenen Gelehrtentums[71] an sich. Solche Kritik indes scheint hier zur Selbstkritik gewendet; denn daß die intellektuelle Bildung, indem sie die Verhältnisse von außen oder oben zu sehen ermöglicht, gleichzeitig auch von ihnen distanziert, daß sie die Verständigung mit denen, deren Lage sie als zu verändernde durchschaubar macht, gleichzeitig auch erschwert — dieser Zusammenhang war dem Sturm und Drang nur zu gut bekannt. In Literatur und Lehre, in Literatur als Lehre sollte das Publikum verändert werden und wurde

(67) Bruford: Germany in the Eighteenth Century, S. 49 f., 251—256.
(68) Bruford: Germany in the Eighteenth Century, S. 235—269.
(69) Schmidt: Heinrich Leopold Wagner, S. 7.
(70) Schmidt: Heinrich Leopold Wagner, S. 82.
(71) Pascal: Der Sturm und Drang, S. 89—93; Schaer: Die Gesellschaft im deutschen bürgerlichen Drama ..., S. 71—73.

doch nur schwer erreicht; es hat daher, was die Identifikation von Magister und Autor angeht, einen tiefen Sinn, wenn Wagner, anläßlich der „gens de lettres" bei Mercier, „Gelehrter" übersetzt statt „Literat"[72].

Die traditionelle Höhenregel provokativ verletzend, hat der Sturm und Drang nicht einmal nur den Bürger, vielmehr „selbst 'aussergesellschaftliche' Typen [...] literaturfähig gemacht"[73]; vom ganzen, auch seinem offenen Drama heißt es: „Keiner ist zu gering, als daß er Tragisches nicht erfahren könnte. Und kein Ort ist zu unwürdig, als daß Tragisches in ihm sich nicht ereignen könnte."[74] Wieviel gerade Wagner hierzu beitrug, wurde von seinem Bearbeiter Lessing sehr richtig erkannt; dieser schrieb schon über den niederträchtigen Hasenpoth, solche Leute wolle „niemand auf dem Theater sehen, sondern in Zuchthäusern und Festungen"[75]. Aber was die Personen an gesellschaftlicher oder moralischer Höhe verlieren, gewinnen sie wieder an Tiefe: an Innerlichkeit. Ein neues psychologisches Interesse[76] richtet sich nun auf die inneren Ursachen ihres Handelns und auf die inneren Folgen ihres Leidens; das Subjektive steht mit dem Objektiven in dialektischer Wechselwirkung. Mehrfach hat die Interpretation diesen Punkt bereits berührt: wo die Rede war von dem Versuch, die verbrecherische Tat aus dem Täter heraus zu verstehen; sie, den Kindesmord, aus der privaten Scham zu erklären, die mit der öffentlichen Schande korreliert; und so das Milieu nicht nur als Bühne, sondern auch als internalisierten Regisseur der Personen zu begreifen.

„Das Milieu hört auf, bloß Hintergrund und Rahmen zu sein, und gewinnt einen aktiven Anteil an der Gestaltung des menschlichen Schicksals. Die Grenzen zwischen Innen- und Außenwelt, Seele und Materie werden fließend und verwischen sich allmählich, so daß am Ende jedes Handeln, jeder Entschluß, jedes Gefühl etwas Fremdes, Äußerliches, Materielles enthält, etwas, das nicht im Subjekt seinen Ursprung hat und den Menschen als das Produkt einer geist- und seelenlosen Wirklichkeit erscheinen läßt."[77]

Durch solche Introspektion, der die „Seele nichts als das Schlachtfeld anonymer Mächte ist"[78], werden allerdings die Begriffe von Schuld und Tat, wie sie das Drama vordem begründeten, in Frage gestellt, und zugleich dessen Wirkung: sie nämlich hing zusammen mit der (durch psychologische Motivation nun aufgehobenen) Unbegreiflichkeit des dramatischen Geschehens als eines schicksalhaften Verhängnisses.[79] Hier aber leuchtet das Drama ins Innere der Personen hinein, und drinnen erblickt die Gesellschaft ihr eigenes Spiegelbild. Wenn „die Charaktere als soziale Erscheinungen"[80] dargestellt werden sollen, und zwar realistisch, müssen sie notwendig unvollkommen sein; sie sind, im Unterschied

(72) Szondi: Die Theorie des bürgerlichen Trauerspiels . . ., S. 171.
(73) Gerth: Die sozialgeschichtliche Lage . . ., S. 76.
(74) Klotz: Geschlossene und offene Form . . ., S. 120 f.
(75) Wagner/Fechner: Die Kindermörderin, S. 95.
(76) Zorn: Die Motive der Sturm- und Drang-Dramatiker, S. 6 f.
(77) Hauser: Sozialgeschichte der Kunst und Literatur, S. 605.
(78) Hauser: Sozialgeschichte der Kunst und Literatur, S. 607.
(79) Hauser: Sozialgeschichte der Kunst und Literatur, S. 608 f.
(80) Hauser: Sozialgeschichte der Kunst und Literatur, S. 606.

zu denen des geschlossenen Dramas, „nicht alle oder nicht immer im vollen Bewußtsein ihrer selbst. Vielen fehlt insgesamt oder zeitweise die Reife und Vollendung zur Person"[81]. Was aber daran liegt, daß sie, anders als ihre Vorgänger, nicht oben auf der Gesellschaftspyramide leben, sondern in deren tieferen Geschossen, von allen Seiten beengt, bedrängt, bedrückt und beschädigt. Die Personen sind, wie schon gesagt, Opfer ihres Orts, und entsprechen ihm bis ins Kleinste. „Dämmerung und Dunkel, Schattenhaftes und Verschwommenes schaffen sich auch im Innern der Personen Raum. Ihr Agieren und Reagieren ist sehr viel mehr von unbewußten Kräften als von klar ordnender und planender Reflexion beherrscht."[82] So ist es, wo Evchen Humbrecht sich auch aufhält, niemals richtig hell, genauso wenig wie in ihrer Psyche; bloße Gefühle und halbe Ahnungen gehen kreuz und quer durcheinander — aber dies wird immerhin nun vorgeführt, muß vorgeführt werden, weil Personen solcher Soziallage nur aus ihrer zur Innenwelt gewordenen Außenwelt sich verstehen lassen. Die Verbürgerlichung des Dramas (jedoch nicht sie allein) bedingt seine Psychologisierung.

Unter derart geschärftem Blick muß auch die traditionelle aber scheinbare Einheit der Person in ihre Bestandteile zerfallen. Es werden Zerrissene vorgeführt, unter ihrem eigenen Widerspruch und Gegensatz fast Zerbrechende, in deren Innerem, als einer anderen Bühne, schon ein Großteil des Dramas sich abspielt. „So diskontinuierlich wie die Handlung im offenen Drama verläuft, so diskontinuierlich ist das von Stimmungen und Emotionen bestimmte Verhalten der Personen. Immer wieder kommt es zu schroffen Gefühlsumbrüchen, die die innere Bewegung der Personen mimisch in den Raum verlängern."[83] Schon der Kutscher Walz in Wagners ‚Reue nach der Tat‘ birgt die sprichwörtlichen „zwei Seelen in der einen Brust"[84], und erst recht der Metzger Humbrecht, sein Nachfolger, sowie dessen zahlreiche Sippe im gesamten Sturm und Drang. In einem Atem oszilliert dieselbe Person zwischen Lachen und Weinen, Komik und Tragik (eine, wie gezeigt, dramaturgisch hochbedeutende Polarität); auch zwischen Grobheit und Zärtlichkeit[85] — Humbrecht mischt Fluch und Segen, mal „zankt" er und mal „gibt er gute Wort" (81), seiner Selbstcharakteristik in eben der Szene zufolge, wo er beides chaotisch durcheinanderwirft, nachdem ihn Evchen freilich darin schon überboten hat; und freilich muß er so tun, da ihm Evchen ja als Täter und Opfer zugleich entgegen tritt. Dieselbe Person oszilliert somit zugleich zwischen Böse und Gut, Gut und Böse.

Dies jedoch verweist zum Abschluß noch einmal darauf, daß Wagner, ähnlich Lenz, in seinem Stück zwar eine dreifach gestufte Gesellschaft darstellt, aber (allen literatursoziologischen Klischees zuwider) nicht so, als ob das — in sich differenzierte — Bürgertum, ganz moralische Integrität, oben und unten

(81) Klotz: Geschlossene und offene Form ..., S. 138.
(82) Klotz: Geschlossene und offene Form ..., S. 142.
(83) Klotz: Geschlossene und offene Form ..., S. 143.
(84) Kindermann: Theatergeschichte Europas 4, S. 572.
(85) Ebenso: Lenz: Der Hofmeister ..., S. 69 f.; Schmidt: Lenz und Klinger, S. 38 f.; Pascal: Der Sturm und Drang, S. 81; Burger: Die bürgerliche Sitte, S. 210.

von Verderbnis eingerahmt sei. Vielmehr nämlich sind Licht und Schatten, fern jeder Schwarz-Weiß-Malerei, durchaus gerecht verteilt, und es findet sich oben und unten Positives so wie Negatives in der Mitte, bei den Bürgern selber. Die Parteilichkeit, die ihnen und ihrem Anspruch das neue Trauerspiel zuschrieb, wollte sie gleichwohl nicht blind machen, sondern sehend gerade auch für das eigene Ungenügen, das die Durchsetzung eben jenes Anspruchs hinderte.

7.5. Sprache

> Man liest oder hört, wie die Menschen mit der Sprache ringen, wie sich ihrem Innersten die Worte versagen, wie sie den Weg nicht finden zum Verstehen ihrer Mitmenschen, wie Mißdeutung den Sinn der Worte entstellt. Man erlebt, wie Menschen an der Sprache scheitern.
>
> Hans Heinz Holz[1]

In seinen Personen und demgemäß auch in seiner — bzw. deren — Sprache entsagt das Drama dem traditionellen Ideal gehobener Einheitlichkeit; an ihrer Stelle bietet es hier wie dort einen pluralistischen Querschnitt dar, führt es (wie an den ‚Soldaten‘ von Lenz ebenfalls nachgewiesen wurde[2]) mehrere soziale als zugleich idiomatische Ebenen vor. Diese mögen zunächst und vordergründig in Gestalt bloß individueller Eigenheiten erscheinen, aber schon damit wäre viel getan. Wagner hielt die Differenzierung der Personen durch Sprache für eine dramatische conditio sine qua non; im Jahre 1775 kritisierte er einen sonst bedeutungslosen Singspieldichter (der sich leider allerhöchster Protektion erfreute und den Kritiker darauf in langwierige Rechtshändel verwickelte[3]); seine Argumentation gipfelte in dem bezeichnenden Vorwurf:

„Kurz, Herr Professor Klein, der keinen Charakter anzulegen, keinen ihm schon in der Historie deutlich angelegten zu benutzen weiß, nur immer selbst sprechend, nie andere sprechen lassen will, noch weniger die einem theatralischen Schriftsteller so nötige Kunst versteht, in anderer Seele zu reden, schickt sich zum Operndichter wie der Esel zum Lautenschlagen.“[4]

Indem nun die Personen ihre je eigene, nein: eine je verschiedene, aber sozial vorgeprägte Sprache sprechen, tun sich Abgründe zwischen ihnen — und in ihnen — auf und bringen die Schichtstufen der Gesellschaft zutage.

„Vielheit und Verschiedenheit der Standes- und Berufssprachen sperren sich nicht nur gegen jede Vereinheitlichungstendenz, sie reiben sich geradezu, wo sie aufeinandertreffen,

(1) Holz: Macht und Ohnmacht der Sprache, S. 23.
(2) Höllerer: Lenz: ‚Die Soldaten‘, S. 135—138.
(3) Wolf: Heinrich Leopold Wagners Verteidigung . . .
(4) Zit. nach Wolf: Heinrich Leopold Wagners Verteidigung . . ., S. 283.

sie bilden unruhige Stilmischungen, die oft bis in Sprechweise und Sprachreservoir der einzelnen Person hineinreichen."[5]

Um dies zunächst am Magister zu exemplifizieren: er spricht, oder vielmehr aus ihm spricht ein angelernter akademischer Fachjargon. „Ihnen diese Frage zu beantworten, muß ich unterscheiden, werthste Frau Baas! erstlich das Ballgehn an sich selbst, und zweytens die verschiedene äußere Umstände, die damit verbunden sind, oder verbunden seyn können, betrachten" (21). Doch das „exegesiren" und „sokratisch demonstriren" (21) fällt von ihm ab, sobald er an seinem Erziehungsprojekt Feuer fängt — „Sie werden warm, Herr Magister" (27) — oder die Wirklichkeit des Geschehens ihren Tribut fordert; denn ihr, so ist hier bedeutet, wird scholastische Schulweisheit „nach der strengsten Kasuistick" (22) nicht gerecht.

Des Magisters standesbedingte Fähigkeit zu klug gesetzter Rede (25, 26 f., 60 f., 62, 82), die ihn als einzigen dem dramatischen Helden von ehedem anähnelt, trennt ihn damit auch von den anderen, ihm zumeist bereitwillig lauschenden Personen. In deren vorderster Reihe steht Frau Humbrecht, denn er hat, zumal an Kindes Statt (60), schon erreicht, was ihr noch mißrät: bürgerlichen Aufstieg. Zum Zeichen dessen, daß sie am neuen Ort noch nicht und am alten (woran etwa ihr Ehemann zäh festhält) nicht mehr zuhause ist, vermischen sich in ihr die Sprachsphären; eine derbe, drastische — „daß man vom bloßem Geruch besoffen wird" (13); „wie lang waren sie schon verfressen" (60) — und bis zum einschlägigen Sprichwort (27) reichende kontrastiert wunderlich mit einer verfeinerten, gezierten — „Ey sie belieben halt zu vexiren" (14). Wobei dieses Wort, mitsamt den „Mantlett" (10), „Poschen" (11), „Kaprissen" (47), „Kommod" (60), „duß" (65) übers Straßburger Lokalkolorit hinaus auf das Ziel ihres höheren Strebens weist; nämlich auf die Welt der Aristokratie, in deren Bildungskanon das Französische an oberer Stelle rangierte.[6] Formal wie inhaltlich hat diese Sehnsucht am deutlichsten nicht die Humbrechtin, sondern erst die ihr nachgeschaffene Millerin zum Ausdruck gebracht: „weil eben halt der liebe Gott meine Tochter barrdu zur gnädigen Madam will haben."[7]

Französisches durchsetzt auch, aber anders, die Rede des Aristokraten Gröningseck.

„Ein Nektar! ein Göttertrank ists! le diable m'emporte, s'il n'est pas vrai! Wenn ich König von Frankreich wär, so wüßt ich mir dennoch kein delikaters Gesöff zu ersinnen, als Punsch; der ist und bleibt mein Leibtrank, so wahr ich — Ah le voila" (13). „Beym Sauveur! — pardieu! da wunderts mich nicht mehr — ich hab auch bey ihm repetirt: — c'est un excellent maitre pour former une jeune personne! — sein Wohlseyn! [...] — aber, comment diable kamen sie an den Sauveur? der hat ja immer so viel mit Grafen und Baronen zu thun" (14).

(5) Klotz: Geschlossene und offene Form ..., S. 157.
(6) Bruford: Germany in the Eighteenth Century, S. 65, 68; Schaer: Die Gesellschaft im deutschen bürgerlichen Drama ..., S. 165—168.
(7) Schiller: Kabale und Liebe, S. 761.

So geht es in einem fort, und fast jeder Satz Gröningsecks, oder auch Hasenpoths, oder des Majors, taugte zum Beleg jenes deutsch-französischen Offiziers-
kauderwelschs. Was aber Frau Humbrecht als sprachliches Signum der gehobenen Gesellschaft sich anzueignen trachtet, wird mit dieser zusammen sogleich denunziert, indem es nämlich seinerseits mit einem genialischen Kraft-
pathos trüb sich vermischt: „Das war ma foi ein Hauptspaß! eben red ich von
dem krüpplichten Hund, da stürzt die Kanaille zu Boden — Bald hätten wir
das Beste übersehn, le diable m'emporte, c'est charmant! c'est divin!" (7). Wie
sich die Bilder gleichen — nur daß eben die einen auf Veredelung, die anderen
auf Verrohung ausgehen. Beide verschränken sich im typischen Sprachhabitus
des Sturm und Drang, wie ihn zumal — hier eins seiner Lieblingswörter —
„der tollste Kopf im ganzen Regiment" (39), der Major, unverkennbar an sich
trägt. Im Munde solcher Personen aber macht solche Sprache selbst sich ver-
dächtig; ihr gegenüber hält Wagner, als einer von wenigen, auf kritische Distanz.

„Die deutsche Tirade und Sentenz ist den Franzosen nachgeahmt, aber am Stammtisch
eingeübt. In den unendlichen und unerbittlichen Forderungen spielt der Kleinbürger sich
auf, der mit der Macht sich identifiziert, die er nicht hat, und durch Arroganz sie über-
bietet bis in den absoluten Geist und das absolute Grauen hinein. [...] Als Kraft hat
Schwäche den Gedanken des angeblich aufsteigenden Bürgertums zu der Zeit schon an
die Ideologie verraten, da es gegen die Tyrannei wetterte."[8]

Gilt dies auch von Klinger bis Schiller für die gesamte bürgerliche Helden-
galerie: unter Wagners Personen werden gerade die nichtbürgerlichen davon
entwertet.

Ein anderes ist die kraftvolle Sprache dort, wo sie unpathetisch, also nicht
hohl oder gekünstelt, zu Gehör kommt; bei Marianel und der Wirtin, bei der
Marthan, der Magd und vollends bei Humbrecht ist sie sozial am Platze.

Marianel. Geh du zum lüftigen Teufel mit samt deinem Pulver, du tausendsakerment!
willst mich die Leut vergiften machen? — meynst ich hab kein Gewissen, du Höllen-
hund? (9)

Wirthin. Ja fangen! — du und der Teufel fang! Die Offizier sind dir die rechten. —
Da verlohr einer vom corps royal vorm Jahr einen lumpichten Kugelring, hat mir
der Racker nit bald's Fell über die Ohren gezogen! — wollt mirs Haus über dem
Kopf anstecken, wenn ihn nicht die Christine noch im Strohsack wieder gefunden
hätt. — Geh du an Galgen mit deinem Fangen! — mir komm nit! — — Was steckst
im Sack da? he! Staupbesenwaar! was steckst ein? willst reden? (16)

Fr. Marthan. Woher nehmen und nicht stehlen? wenn sie mich auf den Kopf stellt, so
fällt kein Heller heraus — Sie weiß ja selbst, daß ich heut meine letzten Pfennige
zusammengescharrt hab, um das Laibchen Kommißbrod zu kaufen. (71)

Diese wiederum bloß stellvertretenden Zitate mögen zeigen, wie sehr die Personen das ihnen natürliche, angemessene Idiom ihres Standes sprechen. Aufs

---

(8) Adorno: Minima Moralia, S. 110 f.

glücklichste getroffen ist dabei die Wäscherin: der Berufsname gedieh geradezu zum Synonym für Plaudermaul und Plaudertasche[9], und die den Beruf Ausübenden waren ob ihres unaufhörlichen Geschwätzes, eben ihres Gewäschs, allgemein berüchtigt. Ein Spottversen macht dies deutlich genug: „Den Wascherinnen, so auf der Britsch klatschen, Woll der Rübezahl den podex batschen, Bis die Hexen in sich gehen, Und ihr Gekrächel lassen stehen."[10] Noch ein Autor des 19. Jahrhunderts charakterisierte „die Wäscherinnen in meiner Heimatstadt" als „eine Großmacht, vielleicht gar die einzige. Wehe dem, der es mit der Partei im Waschhaus 'verschüttet' hatte. Bis zu seinen Ahnen und Urahnen hinauf wurden alle Sünden seines Geschlechtes und Stammes im Waschhaus hervorgegraben. Die schwarze Wäsche der ganzen Stadt wurde hier gewaschen mit der Hand und mit der Zunge, und schon um Mitternacht begannen sie ihre Arbeit."[11] So ist die Marthan wie keine andere dazu berufen, in aller naiven Mundfertigkeit den umgehenden Stadtklatsch, mit seinen ungeahnten Bezügen auf Evchen, wortgetreu wiederzugeben: „gestern auf der Britsch ist ein langes und ein breites davon erzählt worden" (74).

Diese Personen sprechen ihr Idiom auch durchgängig, ungemischt und ohne Bruch. Die Sprachschichten, die das Drama vorführt, schließen sie ein, aber durchziehen sie nicht noch einmal selber; von ihnen kann nicht einmal in problematischen Situationen gesagt werden, wie von den anderen, daß sie „sprachlich über ihre Verhältnisse leben"[12]; weder gehen sie fremd[13] noch benutzen sie „fremde Gewänder, die sie an andern einmal gesehen haben, und in die sie nun hineinschlüpfen, ohne die Konsequenzen zu kennen"[14]. Der uneinheitliche, uneigentliche Stil jenseits der spontan üblichen Sprachebene ist den zuvor Genannten eigen und allenfalls noch Evchen in jenem zentralen Moment, als sie sich nach erlittener Verführung zu heroischem Pathos aufschwingt:

Evchen (küßt ihn, reißt sich aber, sobald er sie wieder geküßt, gleich los.) Hör weiter! so sey dieser Kuß der Trauring, den wir einander auf die Eh geben. — Aber von nun an, bis der Pfarrer sein Amen! gesagt, von nun an — hören sie ja wohl, was ich sage — unterstehn sie sich nicht, mir nur den Finger zu küssen; — sonst halt ich sie für einen Meineidigen, der mich als eine Gefallene ansieht, der er keine Ehrerbietung mehr schuldig ist, der mit mitspielen kann, wie er will: — und so bald ich das merke, so entdeck ich Vater oder Mutter — es gilt gleich, wer? — dem ersten dem besten alles was vorgegangen, und sollten sie mich mit Füßen zu Staub treten! — Haben sie mich verstanden? — warum so versteinert, mein Herr? — wundert sies, was ich gesagt habe? — jetzt lassen sie den Kutscher rufen.

v. Gröningseck. Ich bewundre sie, Evchen! — in diesem Ton —

Evchen. Spricht beleidigte Tugend: — muß so sprechen: — Jetzt hängt es von ihnen ab zu zeigen; ob sie wahr geredet haben. (18)

(9) J. und W. Grimm: Deutsches Wörterbuch 13, Sp. 2251.
(10) Zit. nach Schmidt: Heinrich Leopold Wagner, S. 134 (Anm. 53).
(11) Hansjakob: Der Wälderbub, S. 41.
(12) Klotz: Geschlossene und offene Form . . ., S. 158.
(13) Klotz: Geschlossene und offene Form . . ., S. 159.
(14) Klotz: Geschlossene und offene Form . . ., S. 160.

In der Verunsicherung, ob sie nun kurzzeitig aufbricht oder langfristig zugrundeliegt (aber sie ist stets gesellschaftlichen Wesens), verlassen die Personen die ihnen gesellschaftlich angestammte Sprachschicht und die Sprache des Dramas erweist sich noch in einem zweiten Sinn, noch einmal in ihnen als geschichtet; dann „schlagen sich die rissigen Zustände und Befindlichkeiten der Menschen unmittelbar als Risse in der Sprache nieder"[15].

An der Marthan, vollends aber am Humbrecht offenbart sich die, nach Hegels Worten über die Epoche, „Seite realer Natürlichkeit", die „Vorliebe für die unmittelbare Lebendigkeit unverzierter Derbheit und Kraft"[16]. Humbrechts Sprache ist die (im Gegensatz zu der seiner Frau) ungebrochene, populäre des allgemeinen Umgangs, gefärbt von Eigentümlichkeiten des Ortes und des Standes. Den Straßburger Bürger in sich kann er nicht verleugnen; was sich aufs deutlichste ausspricht, wenn er eine Philippika gegen das „Ballgehn" (22), oder die Kirchgänger (58 f.), oder die Obrigkeit (63) vom Stapel läßt. Verleugnen kann er insbesondere den Metzger nicht — ein Berufsstand, der an Schlagfertigkeit dem der Wäscherin kaum nachstand.

„Die Metzger waren derb, geradezu, etwas roh, wie es das Gewerbe mit sich bringt, spöttisch gegen die feilschenden Viehjuden und Kunden und dafür bekannt und gefürchtet. Wagner hat 'bey der kleinen Metzig' gewohnt, von der großen aber hieß es im Volksmund: 'Durch die gross Metzig ohne Spott, / Der hat eine grosse Gnad vor Gott!'"[17]

Berufssprachliches durchflicht seine Rede von Anfang an: den Magister nimmt er nicht für voll, da dieser wohl kaum „Buch- und Eich-Mast zu unterscheiden weiß" (21); ebensowenig diejenigen, deren Gewissen „größer ist als die Metzger-Au draußen" (21); seiner Frau hat er mitgeteilt, er wolle sich nicht länger „wie ein Kalb am Seil, herumzerren lassen" (47) von Evchen, die außerdem zuviel in ihrem „Stall" (49) sitze. Den Büttel, der ihm zufällig „in die Kluppen" (63) — das sind Kastrierzangen — kommt, nennt er „Vieh" (63) und „Schindersknecht" (63), beide zusammen „Viehkerls" (64). Als er Evchen sucht, ist er „vor den Kopf geschlagen, wie ein Ochs" (65), und als er sie findet, muß ihn die Marthan tadeln: „Thut er doch, als wenn er einen Ochsen vor sich hätt! [...] kann er nicht ordentlich reden? (81). Solcher Kritik hat er indessen schon zuvor eine Abfuhr erteilt: „Mein Ton, mein Ton! ist freilich keiner von den zuckersüßen, mit Butter geschmierten, in dem unsre glattzüngichte Herren ihre Komplimenten herkrähen" (48).

Solche Kritik, die Redeweise von Humbrecht und seinesgleichen betreffend, ist auch von außen, von den noch einem gehobenen Sprachstil verpflichteten Zeitgenossen an das Drama herangetragen worden. An dieser Stelle die wirklichkeitsbedingte Verschränkung der Kategorien Ort, Sprache und Personen richtig erkennend, hat K. G. Lessing dem Autor vorgeworfen, er beobachte

„die Lokalität so sklavisch, daß jedes unrichtiges Wort, jede falsche Redensart, jede kahle Wendungen des Ausdrucks an dem Orte, wo die Kindermörderin spielt, von ihm so

---

(15) Klotz: Geschlossene und offene Form . . ., S. 161.
(16) Hegel: Ästhetik, S. 525 (Bd. 2).
(17) Schmidt: Heinrich Leopold Wagner, S. 85.

begierig angenommen wird, als was jede Provinz charakteristisch gutes eigen hat. Und das thut er nicht allein in Ansehung der Sprache, sondern auch der Sitten und Charaktere."[18]

Dagegen hat selbst Erich Schmidt gerade darin seine Stärke erblickt: in seinem „volksthümlichen, derben, aber gesunden Ausdruck und in der realistischen Schilderung bürgerlicher Gestalten"[19], die er im selben Atemzuge rühmlich, trefflich, unverächtlich nennt. Denn Wagner wußte und zeigte,

„daß Bürger und Bauern ihre Tropen, deren sie sich ebensogut bedienen, wie die Helden des Salons und der Promenaden, nicht am Sternenhimmel pflücken und nicht aus dem Meer fischen, sondern daß der Handwerker sie sich in seiner Werkstatt, der Pflüger sie hinter seinem Pflug zusammen liest, und [...] daß diese simplen Leute sich, wenn auch nicht aufs Konversieren, so doch recht gut aufs lebendige Reden, auf das Mischen und Veranschaulichen ihrer Gedanken, verstehen"[20].

Dies von Hebbel anläßlich seiner ‚Maria Magdalene', die sich ausdrücklich als Fortführung des bürgerlichen Trauerspiels im Realismus begreift und in der Titelfigur eine Nachfahrin der Evchen Humbrecht, in Meister Anton („Ich verstehe die Welt nicht mehr!"[21] lautet sein und des Dramas Schlußwort) einen Nachfahren des Meisters Humbrecht vorstellt: als einen am selben Konflikt Gescheiterten, weil in seinem — nun restlos desolaten — bürgerlichen Milieu Gefangenen und deshalb melancholisch Resignierenden.

Es ist, dem ersten Anschein entgegen, auch Humbrecht von denen nicht ganz auszunehmen, deren Kraft ihre Schwäche kaschiert; auch er wurde ja schon in mehrfachem Zusammenhang als gebunden, hilflos, ohnmächtig und melancholisch erkannt. Zuletzt beweist dies noch seine Sprache, die einem kollektiven und überindividuellen Idiom sich ausliefert; nämlich den rauhen Tönen seiner Standeswelt, in die sogar die feinen der Empfindsamkeit Eingang finden, wo jene nicht mehr zureichen und er etwa vom lieben Gott Verzeihung für die „schlaflosen Nächte" erhofft, die Evchen den Eltern bereitete: „ich weiß er hat alle meine Seufzer, alle Thränen deiner Mutter gezählt" (49). Wie wenig Humbrecht sein eigener Herr ist, zeigt seine Sprache zumal dann, wenn sie auf engstem Raum zwischen den äußersten Polen der Emotion schwankt:

„Wo? wo ist sie, mein Evchen? — meine Tochter, meine einige Tochter? [...] Ha! bist du da, Hure, bist da? — Hier Alte! dein Geld! [...] — Hängst den Kopf wieder? hasts nicht Ursach, Evchen, 's ist dir alles verzieh'n, alles! — [...] Komm! sag ich, komm! wir wollen Nachball halten — — ja, da möcht man sich ja kreutzigen und segnen über so ein Aas: wenn der Vater zankt, so laufts davon, gibt er gute Worte, so ists taub. — [...] Willst reden? oder ich schlag dir das Hirn ein! —" (80 f.)

Sein Ich erscheint hier nahezu schizophren gespalten unter dem Anprall einer Situation, die nicht er, sondern die ihn beherrscht, indem sie ihn seiner eigenen

(18) Wagner/Fechner: Die Kindermörderin, S. 93.
(19) Schmidt: Heinrich Leopold Wagner, S. 85.
(20) Hebbel: Vorwort zur ‚Maria Magdalene', S. 327.
(21) Hebbel: Maria Magdalene, S. 382.

Kontrolle entzieht. Daß die (dem Sturm und Drang so sehr gemäßen) sprachlichen Eruptionen einer Person deren Niederlage und eben nicht Überlegenheit anzeigen, hat mit psychologischem Scharfblick schon Knigge erkannt:

„Jähzornige Leute beleidigen nicht mit Vorsatz. Sie sind aber nicht Meister über die Heftigkeit ihres Temperaments, und so vergessen sie sich in solchen stürmischen Augenblicken selbst gegen ihre geliebtesten Freunde, und bereuen nachher zu spät ihre Übereilung."[22]

Selbst Humbrecht erscheint dergestalt am Ende noch einmal als gemischter Charakter mit gemischten Gefühlen; wie die Welt, so geht auch die Sprache, die deren Widersprüchlichkeit einholen möchte, aus den Fugen.

Daß die Personen dem ihnen Widerfahrenden nicht gewachsen sind, zeigt sich darin, daß sie ihm auch sprachlich aus Eigenem nicht beikommen können. Vielmehr müssen sie sich dem anheimgeben, was die Sprache an bereits Vorgefertigtem ihnen an die Hand gibt oder besser in den Mund legt; müssen sie eben die Sprache als die Autorität zitieren, die sie selber nicht sind. Bibel, Sprichwort und Märchen bieten ein vertrautes kollektives Reservoir[23], aus dem sie Bilder schöpfen statt der Begriffe, die ihnen nicht zu Gebote stehen. „Vermag die Sprache dort Anker zu werfen, so ist der Einzelne kurzfristig aus seiner Einsamkeit gelöst. [...] Sie bergen alte Erfahrungen und Weisheiten, nach denen das Unbewußte strebt, sich Bestätigung zu holen."[24] Mit unüberbietbarer Deutlichkeit wird eine Analyse der Mordszene dies erweisen, wo Evchen am hilflosesten, ohnmächtigsten, verzweifeltsten ist, zugleich am bedürftigsten nach Rückversicherung, Halt und Stütze ihres Privaten im Kollektiven, und sei es nur in dessen Sprache. Aber schon als sie das elterliche Haus verläßt, kommt ihr die Anklage gegen den scheinbar wortbrüchigen Verführer als Bibeltext über die Lippen: „es soll dir schwer werden wider den Stachel zu lecken" (55); der Angeklagte selbst, von Reue und Trauer überwältigt, hatte gleichfalls mit Bibelzitat die Natürlichkeit Evchens von den „übertünchten Todtengräbern" (34) abgehoben. Das Buch der Bücher offeriert vorgeprägte Analogien zu fast jeder menschlichen Situation[25]; darüber hinaus das ethische Regulativ, dessen die Personen in ihrer oft unauflöslichen Verstrickung bedürfen, freilich oft ohne ihm folgen zu können. Auch dem Volkslied ist in solchem Zusammenhang eine Rolle übertragen; lange bevor sich Evchen, den Mord vollziehend, in eines flüchtet, singt Gröningseck der Mutter ein anderes vor: „der gute Mann, der brave Mann! — können sie das Liedchen? nicht? — das muß ich sie lehren" (24). Er spielt damit auf ihre vermeintlich ehebrecherische Zweisamkeit mit dem Magister an, benutzt es also, um anzudeuten, was er offen nicht sagen darf oder kann: und deutet doch zugleich auf sein eigenes Verhalten. Frau Humbrecht selber, nach einer Erklärung für Evchens Niedergeschlagenheit ge-

---

(22) Knigge: Über den Umgang mit Menschen, S. 94.
(23) Klotz: Geschlossene und offene Form ..., S. 189.
(24) Klotz: Geschlossene und offene Form ..., S. 191 f.
(25) Klotz: Geschlossene und offene Form ..., S. 189.

fragt, behilft sich mit einem Sprichwort[26]: „Wer selten reitet, dem — —" (27) —
„thut der Ars bald weh": diese zweite Hälfte, als nicht mehr zitierfähige,
unterschlägt sie dann allerdings, und hat doch in solch angestrengter Selbst-
zensur das Fassadenhafte ihres bürgerlichen Habitus genugsam charakterisiert.

Ungeachtet aber ihres jeweiligen Funktionszusammenhangs machen die Rück-
griffe der Personen auf vorformulierte Sprache niederster und allgemeinster
Ebene insgesamt deutlich, welchem Bedürfnis sie sich verdanken: dem nach
Anlehnung angesichts einer die eigenen Mittel übersteigenden Realität.

Dieselben Rückgriffe zeugen zugleich davon, daß Wagner, hierin ganz Sturm
und Drang, gemäß der Maxime verfuhr, die Luther als erster im ‚Sendbrief
vom Dolmetschen' aufgestellt hatte (mit demselben populären Zweck, möglichst
wirksam noch die untersten Schichten zu erreichen): „man mus die mutter jhm
hause / die kinder auff der gassen / den gemeinen man auff dem marckt drumb
fragen / vnd den selbigen auff das maul sehen / wie sie reden"[27]; nicht zum
ersten und nicht zum letzten Mal erweist er sich dabei als ein genauer Chronist
des Gehörten und Gesehenen. Denn im Gegenzug zu jeder Art von Künstlich-
keit erhob Sturm und Drang deren Korrektur durch eine Natürlichkeit zum
Programm, die (was mit gutem Grund auch politisch zu verstehen ist) unten
statt oben lokalisiert wurde. Daraus leitet sich das breite Interesse an Volks-
liedern und -märchen her, und an Sprichwörtern (welche, nach Goethe, „statt
vieles Hin- und Herfackelns, den Nagel gleich auf den Kopf treffen"[28]).

„Der Oberdeutsche nämlich, und vielleicht vorzüglich derjenige, welcher dem Rhein und
Main anwohnt (denn große Flüsse haben, wie das Meeresufer, immer etwas Belebendes),
drückt sich viel in Gleichnissen und Anspielungen aus, und bei einer inneren menschen-
verständigen Tüchtigkeit bedient er sich sprüchwörtlicher Redensarten. In beiden Fällen
ist er öfters derb, doch, wenn man auf den Zweck des Ausdruckes sieht, immer gehörig;
nur mag freilich manchmal etwas mit unterlaufen, was gegen ein zarteres Ohr sich
anstößig erweist."[29]

Straßburg, Wagner, seine Personen, besonders die sich anstandshalber selbst
ins Wort fallende Frau Humbrecht: sie werden von diesen Sätzen unvermutet
betroffen.

Dies aber ist die „speziell historische Leistung" des Sturm und Drang, daß
er die „Erlösung der dramatischen Sprache aus den Fesseln des Schriftdeutsch"[30]
vollzieht. Daran nimmt Wagner teil und geht darin doch von allen am weite-
sten, wenn er es nicht nur — wie eben gezeigt — aufrauht, durchmischt oder
zerbricht, sondern den ungeschönten Dialekt selber zu Gehör bringt. Es ist, von
geringfügigen Ausnahmen einmal abgesehen, das erste (und vorm Naturalismus
auch das letzte) Mal, daß auf deutscher Bühne solche Sprache sollte vernom-
men werden:

(26) Klotz: Geschlossene und offene Form . . ., S. 204.
(27) Luther: Sendbrief vom Dolmetschen, S. 246.
(28) Goethe: Dichtung und Wahrheit, S. 251 (Bd. 9).
(29) Goethe: Dichtung und Wahrheit, S. 251 (Bd. 9).
(30) Korff: Geist der Goethezeit, S. 193.

1. Fausthammer. Gott lob! do gitts doch widder a paar sechs schilli Bießlä ze verdienä!
2. Fausthammer. Vergiß jetzt widder d'Kunsign, häschts ghört!
1. Fausthammer. Dreck uf dien Nas. I waiß gewiß nimmi? — a bunne rung, unn a Mantel mit brunem Bodä, unn — unn — o 's ist mer zinn I seh sie schunn. (70)

Als wohlgemerkt einziger seiner Epoche geht Wagner (auch im ‚Prometheus', auch im ‚Sebastian Sillig') den von ihr betretenen Weg zu Ende, wenn er die allgemeine Hinwendung zur Volkspoesie durch die besondere zur Volkssprache noch übertrifft. Das neue Interesse an der unteren Gesellschaftsschicht insgesamt bringt gleichfalls ein oppositionelles Moment zum Ausdruck: nämlich einen Protest gegen die obere, die ihren normativen Anspruch inzwischen selbst korrumpiert hatte; Natürlichkeit, Echtheit und Wahrheit schienen die Korrektur ihres oben herrschenden Gegenteils zu versprechen. Noch Jean Paul, dessen Jugendschriften „ein Zug zur sozialen Anklage und politischen Opposition" auszeichnet, „ermutigt und beeinflußt ganz sicher durch den Sturm und Drang"[31], machte dies nicht minder deutlich als seine Vorbilder, speziell Wagner, es hätten machen können:

„Unsere Sprache schwimmt in einer so schönen Fülle, daß sie blos sich selber auszuschöpfen und ihre Schöpfwerke nur in drei reiche Adern zu senken braucht, nämlich der verschiedenen Provinzen, der alten Zeit und der sinnlichen Handwerkssprache."[32]

Zurückzugreifen galt es demnach, zwecks Besserung, auf den als unverdorben begriffenen Charakter des Volkes, wie er in Sitte und Sprache sich manifestierte. Indem Wagner nun dieser sich annimmt, löst er ein Programm ein, das am entschiedensten von Lenz formuliert — aber eben kaum mehr als formuliert — wurde.

„Wenn wir in die Häuser unserer sogenannten gemeinen Leute gingen, auf ihr Interesse, ihre Leidenschaften acht gäben, und da lernten, wie sich die Natur bei gewissen erheischenden Anlässen ausdrückt, die weder in der Grammatik noch im Wörterbuch stehen: wie unendlich könnten wir unsere gebildete Sprache bereichern, unsere gesellschaftlichen Vergnügen vervielfältigen!"[33]

Lenz bittet, „den unleidlich gedehnten schwäbischen Dialekt, der noch in diesen Gegenden herrschet, mit all seinen Provinzialwörtern und oft hier allein noch erhaltenen uralten Wortfügungen und Redegebräuchen als die Fundgrube" anzusehen, aus der man „unbezahlbare Schätze für unsere gesamte hochdeutsche Sprache herausarbeiten"[34] könne; und bittet weiter, „Versuche zu machen, wie ehemals übliche, oder vielleicht noch unter einer gewissen Klasse von Leuten gebräuchliche Redensarten zu der Summe unsers gesamten Hochdeutsch geschlagen werden können"[35]. Die Rede ist von Gegenden und von Klassen, was auf ein lokales wie zugleich soziales Interesse verweist, mit einem letztlich politi-

---

(31) Harich: Jean Pauls Kritik des philosophischen Egoismus, S. 45.
(32) Paul: Vorschule der Ästhetik, S. 284.
(33) Lenz: Über die Bearbeitung der deutschen Sprache..., S. 455.
(34) Lenz: Über die Bearbeitung der deutschen Sprache..., S. 449 f.
(35) Lenz: Über die Bearbeitung der deutschen Sprache..., S. 451.

schen im Hintergrund: käme das Projekt, nach Lenz, doch dann zu seinem Ziel, „wenn jede berühmte Stadt Deutschlandes Beiträge zu einem Idiotikon gäbe, das mehr auf die urältesten Wörter und deren Bedeutungen als auf die heutigüblichen sähe, und sodann auf einem Klopstockischen Landtage der ältesten und einsichtsvollesten Gelehrten jedes Orts auf ein Vereinigungsmittel, auf einen nicht einseitigen despotischen, sondern republikanischen Sprachgebrauch gedacht würde"[36]. Und ganz ähnlich, aber nun auch ganz nahe bei Wagner, wiederum eine Bitte, geäußert von Lenz in einem Brief an Pfeffel unterm 13. 10. 1775, um „einige Zeilen als Beitrag zu einem Idiotikon vom Elsaß, Vorschläge etwan wie ein und anderes kräftiges Wort, der guten Sprache unbeschadet, in dieselbe aufgenommen und vor dem ewigen Verdammungsurteil Provinzialwort gerettet werden könnte"[37].

Das einzige, was das 18. Jahrhundert bis an sein Ende der Volkssprache zugestand, war denn auch ein Recht auf lexikalische Inventarisierung, woraus die Hochsprache höchstens im Einzelfall Profit ziehen sollte; literarisch aber galt sie (ungeachtet früherer Rehabilitationsversuche, etwa Christian Weises ‚Masaniello', einem latent aufrührerischen Barocktrauerspiel von 1682) als verpönt, und selbst noch der Gebrauch einzelner Provinzialismen zum einzigen Zweck der Komik oder Charakteristik veranlaßte umständliche Kontroversen.[38] Dies ist der Kontext des Lenzschen Interesses an „unserer nervichten deutschen Sprache"[39] („Alle rauhen Sprachen sind reicher als die gebildeten, weil sie mehr aus dem Herzen als aus dem Verstande kommen"[40]); der Kontext, in dem auch Wagners Unternehmen steht, aus dem es aber, nur schwach sekundiert etwa von Müllers ‚Genovefa' und ‚Fausts Leben', aufs entschiedenste heraustritt, von Theorie in Praxis übertritt; das Unternehmen, den Dialekt (nach Goethe „das Element, in welchem die Seele ihren Atem schöpft"[41]) literarisch einzugemeinden.[42] Selbst wo ihn das Drama nicht wort- und lautgetreu zitiert, liegt er dessen Sprache doch zugrunde und durchschlägt sie bisweilen. Und selbst wo es ihn zitiert, ist es doch von der Verklärung des Volkstümlichen, die dem Sturm und Drang als unkritische oft eigen war, weit entfernt; was dem Dialekt auf der Bühne bis heute anhängt, der Geruch des Gemüthaften und Komischen, wird ihm von Wagner gleich genommen. Humbrecht beschuldigt den einen Büttel des Totschlags, begangen an einem fünfjährigen Kind, worauf ihm, voll dumpfer Brutalität, die Antwort zuteil wird: „Ey! worum hätt die Krott au gebettelt! — 's ischt mer halt äi Straich mislungen" (63). Das ist, mit einem Wort Blochs aus anderem Zusammenhang, „eine bittere Heimatkunst, und man sieht, welche Zähne der Dialekt hat"[43]. Noch die tiefsten, verachtetsten Schich-

---

(36) Lenz: Über die Bearbeitung der deutschen Sprache . . ., S. 454.
(37) Briefe von und an J. M. R. Lenz, S. 138.
(38) Steiger:Mundart und Schriftsprache . . ., S. 56—59, 107—121, 153—159.
(39) Lenz: Über die Bearbeitung der deutschen Sprache . . ., S. 449.
(40) Lenz: Über die Bearbeitung der deutschen Sprache . . ., S. 453.
(41) Goethe: Dichtung und Wahrheit, S. 251 (Bd. 9).
(42) Genton: Lenz — Klinger — Wagner, S. 135.
(43) Bloch: Bittere Heimatkunst, S. 171.

ten der Gesellschaft läßt das Drama zur ihnen gemäßen Sprache kommen; was derlei Personen sprechen, erweist sie als unvollkommene, wie sie es tun, als lokal und sozial bedingte; und nicht eigentlich sprechen sie, sondern durch sie spricht ihr Kollektivum, der Pöbel von Straßburg. Hier ist, auch sprachlich, der größte Abstand zum autonomen Personal des traditionellen Dramas erreicht, in einer Wende gegen dessen Tendenz zur Ausklammerung und Verschleierung der realen Misere; wie Diderot bemerkte, „daß die Sprache des Schauspiels sich immer mehr und mehr reiniget, je mehr sich die Sitten eines Volks verschlimmern"[44].

Die Untersuchung, welche Kategorie der dramatischen Mittel sie auch ins Auge fassen mag, landet doch immer an demselben Punkt: bei der äußerlich bedingten Ohnmacht derer, die als fiktive Personen auf der Bühne die realen repräsentieren. Diesen — mit einem tiefsinnigen Ausdruck — Unmündigen ist nicht einmal eine ihnen individuell eigene Sprache gegeben, um zu sagen, was sie leiden, sonderen nur die im Einzelfall notwendig inadäquate ihres sozialen und lokalen Kollektivs.

„Wie Interieur und Schauplätze den dramatis personae ein Leben aus zweiter Hand diktieren, so auch die Sprache. Die Personen sprechen nicht, sondern werden gesprochen. An die Stelle der subjektiv und spontan geprägten Sprache tritt das abgegriffene Klischee, in dem alle Subjektivität bis zur Unkenntlichkeit verharscht ist."[45]

Mit der idiomatischen Präzision, auf die das Drama des Sturm und Drang so viel sich zugute tat, kommt (seinen Autoren und lange auch seinen Interpreten unbewußt) das Verfallensein der Personen an ein Äußeres ins Spiel. Es läßt sich deren Sprache daher nicht ohne Umstand als natürliche bezeichnen; wohl sprechen sie, wie ihnen der Schnabel gewachsen ist, der aber wuchs, gleich allem anderen, wie es die Verhältnisse eben erlaubten. Die vielberedete Natürlichkeit kann hier allenfalls Naturalismus meinen, oder in einem anderen Sinn: daß den Personen ihr Gesellschaftliches zur zweiten Natur geworden ist, daß sie jenes Äußere unter Preisgabe ihres Selbst verinnerlicht haben. Weshalb sie auch mundtot bleiben, wo ihnen nicht schon Präformiertes die Stimme (und zuvor den Gedanken) leiht; und es ihnen die eigene Sprache verschlägt, sobald die fremde einmal nicht mehr paßt. Vom Stammeln zum Verstummen ist es dann kaum noch ein Schritt.

Stammeln heißt nichts anderes, als daß die Rede durch zeitweiliges Verstummen unterbrochen, ja verstümmelt wird. Die Schrift hat dafür den Gedankenstrich; mit diesem Satz- und zugleich Pausenzeichen geht das Drama denn auch am freigiebigsten um, was jede beliebige Seite im Übermaß demonstriert. Er ist die Anwesenheit des Schweigens in der Sprache selber. „An ihm wird der Gedanke seines Fragmentcharakters inne."[46] Fragmentarisch aber (dieses Stichwort taucht ja immer wieder auf) sind das Drama, die Personen und alles, was sie denken oder sprechen; die Zerstückelung wie auch der von ihr signalisierte Ab-

---

(44) Diderot: Dorval und ich, S. 204.
(45) Mattenklott: Melancholie . . ., S. 144.
(46) Adorno: Satzzeichen, S. 167.

bruch der Sprache haben sich, sub specie Melancholie, als deren Phänomene vorab schon im Zentrum der Interpretation angekündigt. So kann es nicht verwundern, daß die Rede fortwährend zu Bruchstücken zerfällt: am wenigsten beim überlegen räsonnierenden Magister, am meisten bei Evchen im Ansturm des Geschehens.

„Arme Mutter! jammert um eine Dose! — Wenn dies der gröste Verlust wäre! — — Fataler Augenblick! unglücklicher Ball! — Wie tief bin ich gefallen! — Mir selbst zur Last! — Die Zöpf hätt ich mir beim Aufbinden herabreißen mögen, wenn ich mich nicht vor der Magd geschämt hätte. — Dürft ich nur niemanden ansehn, säh mir nur kein Mensch in die Augen! — — Wenn die Hofnung nicht wär — die einige Hofnung! — er schwur mirs zwey, dreymal! — Sey ruhig mein Herz! — — [...] Gott! ich hör meinen Vater; — jedes Wort von ihm wird mir ein Dolchstich seyn! — Wie er lärmt! Himmel! sollt er meinen Fehltritt schon entdeckt haben?" (29)

Erst die Mordszene, der auch formale Höhepunkt des Dramas, wird vollends erweisen, bis zu welchem Grad die Sprache sich auflöst; aber schon hier ist deutlich genug, daß sie innerhalb der Person nicht nur in Schichten, sondern dann noch einmal auseinanderbricht. — Das Beispiel sagt auch etwas über das Verhältnis von Wirklichkeit und Sprache. Die Forderung der einen ist zu groß, die Leistung der anderen (und schon des ihr vorausliegenden Denkens) zu klein, als daß beide in übersichtlichen, zusammenhängenden, abgewogenen, gestaffelten, geordneten Satzgefügen zur Deckung kommen könnten; statt dessen ergibt sich eine sprunghafte, spontane, additive, assoziative, daher verworrene Folge von Partikeln und Aspekten. Der Gedankenstrich zeigt den Bruch dazwischen, das fast ebenso häufige Ausrufezeichen den Druck dahinter und die Verzweiflung am Ungenügen der eigenen Artikulation. Wörter, Satzteile und Sätze bleiben auf sich allein gestellt: wie die Personen, die mit ihnen abstands- und umweglos, ohne Rück- und Vorschau stets von neuem auf die jeweilige Situation zu antworten versuchen, von der sie in Bann geschlagen, befangen und bedingt sind; ihre Äußerungen zeigen, wie wenig Widerstand ihr Inneres dem Äußeren entgegenzusetzen vermag. Vielleicht ließe sich aber auch sagen, daß die Teile des sprachlichen wie des gesellschaftlichen Ganzen gegen eben dieses rebellieren. — Die zugehörigen Stilmittel wurden andernorts, wenn auch ohne Blick für ihren sozialen Gehalt, schon sehr eingehend beschrieben: in einer allgemeinen Arbeit über das offene Drama (der das Vorige vieles verdankt)[47] als eines durchweg von Ausschnitten und Fragmenten gebildeten, und in einer besonderen über das Drama Klingers, dessen Sprache sich zur Untersuchung anbot vor allem auf Ergebnisse hin, „die in ihren Grundzügen für den gesamten Sturm und Drang gültig sind"[48]. Und was für Klinger stimmt, gilt in der Tat auch für Wagner und für die Sprache seiner ‚Kindermörderin':

---

(47) Klotz: Geschlossene und offene Form ..., S. 162—178; ebenso: Holz: Macht und Ohnmacht der Sprache, S. 94—101.
(48) Beißner: Studien zur Sprache ..., S. 418.

„Es ist der Wille nur zu einem Hinaus, ohne gleichzeitig um das Wohin zu wissen. Ja, sehr häufig ist auch das Woher nicht klar, alles Gegenständliche überhaupt also. Das Erstwichtige im eilenden Augenblick ist, das Geschehen, das Handeln auszudrücken."[49] Abzüglich des hier mitgemeinten Geniepathos gilt dies besonders für die Verzweiflung Evchens und Gröningsecks, wo sie beide, ohne Ort und Ziel zu kennen, auch durch die Sprache irren.

„Gott! Gott! — ist denn kein Weg! — sie dauert mich von Grund der Seelen, das gute Kind! — wie, wenn? — ja! was wirds nutzen? — auf die Zeit kommt das meiste an. — Doch — es wär zu probiren! — wenigstens ists eine Höflichkeit, die ihr nicht mißfallen kann, wenn sie auch weiter nichts hilft. — — So bald sie sie wieder allein sehn, Magister, wollen sie? — so sagen sie ihr von meintwegen, ich nähm sehr viel Antheil an ihrem Wohlseyn, hätte mich sehr darnach erkundigt, — bey ihnen erkundigt, und wünschte sie je eher je lieber wieder heiter und munter zu wissen: — auf mich dürfte sie — (stokt) nun ja, es sieht freilich einem leeren Kompliment gleich; es geht aber warlich von Herzen — auf mich dürfte sie, wenn ich jetzt oder mit der Zeit etwas zu ihren Diensten — ja Diensten! thun könnte, vollkommen zählen: sagen sie ihr das, wollen sie, lieber Magister? Wort für Wort! lieber was mehr, als was weniger" (37 f.).

Wie bei Klinger, wie im gesamten Sturm und Drang ist da wohl ein Wille, aber (der Leutnant sagt es ja selbst) kein Weg — auf dem die beiden zueinander kommen könnten, die dieses Kapitel nun nacheinander zur Sprache kommen ließ; zu einer Sprache, die einer individuellen Situation Ausdruck verleiht, welche aber ihrerseits (hier sind die bisherigen Deutungen weiterzudenken) in einer kollektiven, einer sozialen ihren Grund hat.

Klingers Personen, so wurde auch bemerkt, stehen „immer allein, jeder auf dem Gipfel seiner Leidenschaft, und selten dringt ein Wort wirklich in des andern Ohr"[50]; seine „Sprache lebt also zu ihrem wahren Wesen auf im Monolog"[51]. Und allgemein ist das offene Drama dadurch gekennzeichnet, daß es den Dialog nur äußerlich bewahrt, aber eigentlich als eine lose verhakte Folge von Monologen; daß die Personen nicht mit- und gegeneinander, sondern nach- und nebeneinander sprechen, ohne aufeinander zu hören. „Die Personen suchen nicht, den Partner im Dialog zu überwinden, sondern sich selbst zu behaupten gegen ihr Geschick."[52] Dies kann in gewissem Sinn auf Wagners Drama übertragen werden. Zwar gibt es hier schlagfertige Rededuelle, wo ein Wort das andere gibt; aber auch Gespräche, wo der Sprecher nur an sich denkt: Gröningseck im dritten, Humbrecht im fünften, Evchen im sechsten Akt. „Daß du dich gleich selbst verschnappen wirst" (37), „Wenn sie mich nicht hören wollen" (58) — solche Einwürfe weisen darauf hin, daß noch der scheinbar lebendigste Dialog das Wesentliche zu verschweigen trachtet, daß dem eigentlichen Problem des Dramas Mund und Ohr sich verschließen. Es beim Namen zu nennen, ist einzig Evchen in ihrer Einsamkeit vergönnt, in ihrem noch so zerrissenen und verworrenen Monolog als einer „Folge logisch unzusammenhän-

(49) Beißner: Studien zur Sprache . . ., S. 418.
(50) Beißner: Studien zur Sprache . . ., S. 425.
(51) Beißner: Studien zur Sprache . . ., S. 426.
(52) Klotz: Geschlossene und offene Form . . ., S. 188; ebenso: S. 183 f., 186.

gender Gedanken"[53], und diese „werden unkontrolliert und unabgestuft geäußert, gerade so wie sie aus dem Unterbewußten emportauchen"[54]. Ihn jedoch spricht sie, anders als dies eingangs von Klingers Personen bemerkt wurde, nicht auf dem Gipfel ihrer Leidenschaft, sondern in dem Abgrund ihres Leidens. Und sie spricht darin mit sich selber — „Sey ruhig mein Herz" (29) — nur, weil sie mit anderen nicht, oder darüber nicht zu sprechen vermag, bis es zu spät ist. Von eben den Personen Klingers heißt es, sie müßten sich gleichsam spalten und selbst anreden, und sie würden „im wildesten Taumel einer [...] übervollen Einsamkeit ein Du aus dem Ich oder dem Es erzwingen"[55]. Wo aber der Gesprächspartner fehlt, verliert die Sprache alsbald ihren Sinn; der einsame Monolog am Rande der Sprachlosigkeit ist die Vorstufe des Verstummens.

Es gibt aber eine Sprache nicht nur der Wörter, sondern auch der Gesten; und sie ist, wie schon die Fülle der Regieanweisungen zeigt, in diesem Drama von großer Bedeutsamkeit. Mehr als anderswo konstituiert bei Wagner das stumme Spiel, die Pantomime eine durchaus eigenständige Ausdrucksebene, womit er verwirklicht, was zumal von Diderot immer wieder gefordert worden war: daß die Sprache des Körpers die des Mundes begleiten müsse („Warum haben wir Dinge getrennt, welche die Natur verbunden hatte? Begleitet nicht die Gebärde die Rede alle Augenblicke?"[56]), ja sie bisweilen sogar ersetzen müsse („Ich habe gesagt, der Gestus müsse oft anstatt der Rede hingeschrieben werden. — Ich füge noch hinzu, daß es ganze Szenen gibt, wo es unendlich natürlicher ist, daß sich die Personen bewegen, als daß sie reden"[57]). Vorgetragen wird dieses Postulat, die Zitate sagen es offen genug, im Namen der Natürlichkeit, des Naturalismus, worauf auch Wagner eingeschworen war; ohne Pantomime — nochmals Diderot — werde der Autor „keine Szene, so wie es die Wahrheit erfordert, weder anzufangen noch fortzuführen noch zu endigen wissen"[58].

Der gestische Ausdruck begleitet den verbalen, indem er ihn kommentiert oder dementiert, unterstreicht oder durchstreicht; dies ließe sich in der ‚Kindermörderin' an unzähligen Stellen zeigen. Gröningseck zum Beispiel: ihn charakterisiert genauer, was er tut, als was er sagt. Wie er im Dunkeln plump nach Evchen tappt (6), anzüglich auf den Strohsack drückt (7), die Mutter in derbe Handgreiflichkeiten verwickelt (10), mit Marianel ums Geld händelt (9) und mit ihr insgeheim über den Anschlag sich verständigt — sie „zwickt ihn ungesehn der andern im Arm, er sieht sie stolz an, und macht eine Bewegung mit der Hand, daß sie fortgehn soll: sie verneigt sich nochmals und geht mit Mühe das Lachen verbeißend, ab" (13); wie er aber auch zu Evchen zärtlich ist (7) — Wagner schreibt dies expressis verbis als eine „Pantomime" (7) vor — und nach ihrer Verführung unruhig auf und ab geht (17): all das, und mehr noch, führt

(53) Klotz: Geschlossene und offene Form ..., S. 181.
(54) Klotz: Geschlossene und offene Form ..., S. 181.
(55) Beißner: Studien zur Sprache ..., S. 426.
(56) Diderot: Dorval und ich, S. 181.
(57) Diderot: Von der dramatischen Dichtkunst, S. 317.
(58) Diderot: Von der dramatischen Dichtkunst, S. 317.

dazu, daß Gröningseck „bereits nach dem ersten Akt, nicht zum mindesten auf Grund längerer oder kürzerer Augenblicke stummen Spiels, in seiner ganzen Zwiespältigkeit, in seinem Durcheinander abstoßender und liebenswürdiger Züge vor uns"[59] steht. Die verschiedensten Blickweisen und Gangarten sprechen Bände; Gröningseck, seinen Mund mit den Augen Lügen strafend, lobt das Kostüm der Mutter, „ohne sie anzusehn" (9); sie „spielt ihm an der Epaulette" (10), er „spielt ihr am Halsband, sie drückt ihm die Hand, und küßt sie" (10), er „kneipt ihr in die Backen, und schielt auf Evchen" (11), er „faßt sie mit der einen Hand um den Hals, und hält ihr mit der andern das Glas an den Mund" (15), sie „stößt das Glas von sich" (15) und „fällt schlafend dem Lieutenant an die Brust" (15) — es dürfte schon in diesen ganz wenigen Beispielen aus nur dem ersten Akt deutlich geworden sein, wie sehr das gestische Medium neben dem und anstatt des verbalen das Drama trägt.

Ein letztes pantomimisches Kabinettstück aus dem zweiten Akt ist noch vorzuführen. Gröningseck trifft den Magister, den er von oben herab wiederholt als „Klaviermeister" (24) tituliert, im Haus der Humbrechts; „der Lieutenant nimmt den Stuhl des Magisters und setzt sich hart neben die Frau Humbrechtin: dieser hohlt sich einen andern Stuhl, und setzt sich auf die andre Seite" (24). Der Konflikt zwischen adliger Selbstüberhebung und bürgerlicher Selbstbehauptung (welche, wie zu erinnern, nicht zufällig gerade vom Magister personifiziert wird) hat hier einen unvergleichlich präzisen, stummen aber beredten Ausdruck gefunden; daß sich die Kontrahenten nach einem rationalen Diskurs dann „treuherzig die Hand" (27) geben, ist ein symbolisches Zeichen utopischer Versöhnung, jenseits von Standesdünkel und Klassenbewußtsein.

Erst in der Pantomime verwirklicht sich das Drama ganz, indem es seinem Publikum als Zuhörern und gleichermaßen als Zuschauern gerecht wird; denn (so Goethe): „Es ist nichts theatralisch, was nicht für die Augen symbolisch wäre."[60] Ebenfalls berührt sich in ihr, die den Personen einen „taktilen Zusammenhang mit dem Raum und den Dingen"[61] zuweist, die dramatische Kategorie der Sprache mit den anderen. „Das offene Drama projiziert weitgehend die inneren Bewegungen der Personen mimisch in den äußeren Raum"[62], weil diese eben das, was sie bewegt, in ihrer Innenwelt allein nicht mehr zu bewältigen vermögen; und weil ihnen für solche Bewältigung das sprachliche Medium nicht hinreichend zu Gebote steht, erlaubt ihnen das offene Drama die Flucht in den körperlichen Kontakt, direkt oder (hier ist an Frau Humbrecht und Gröningseck zu denken) indirekt über „Gegenstände als Dingbrücken"[63]. Verloren ist, gemessen am geschlossenen Drama, der unbedingte Glaube an die uneingeschränkte Artikulierbarkeit allen Geschehens in Sprache[64]; wenn die Personen

---

(59) Engert: Das stumme Spiel . . ., S. 21; ebenso: S. 18—20.
(60) Goethe: Maximen und Reflexionen, S. 497.
(61) Klotz: Geschlossene und offene Form . . ., S. 135.
(62) Klotz: Geschlossene und offene Form . . ., S. 145.
(63) Klotz: Geschlossene und offene Form . . ., S. 147.
(64) Klotz: Geschlossene und offene Form . . ., S. 145; ebenso: Szondi: Die Theorie des bürgerlichen Trauerspiels . . ., S. 107 f., 117.

nunmehr in den Raum und nach den Dingen greifen müssen, um sich verständlich zu machen, verweist solche Pantomime auf die Unmöglichkeit von Kommunikation und schon Reflexion, welche die Worte mit Begriffen vorzubereiten hätte.

„Zweierlei Gründe lassen dem offenen Drama die Sprache als ausschließliches Ausdrucksmedium nicht mehr genügen: einmal der Verlust einer gemeinsamen Weltanschauung, eines gemeinsamen, geschlossenen, gesellschaftlichen Bereichs und der damit den Personen gemeinsamen Sprache. Zum zweiten: die Überfülle an sozialer und psychischer Wirklichkeit, die sprachlich sich kaum mehr fassen läßt. In dieser Lage verlangt das Drama die Pantomime, die der Sprache bald assistierend zur Seite tritt, bald auch, oft in entscheidenden Momenten, die Sprache völlig ersetzt; dann nämlich, wenn die Personen im Bann des Augenblicks, im Anprall undistanzierter Wirklichkeit verstummen. Wenn sie nicht mehr in der Lage sind, das ihnen Begegnende aus überblickender Abstandsposition heraus sprachlich zu formulieren. Hier wird die Pantomime, als flüchtige Einzelgeste oder auch als breit ausgeführter stummer Bewegungsvorgang, Ersatz für das aussetzende Wort. Der Körper beginnt zu sprechen."[65]

Die Hilflosigkeit der Personen ihrer übermächtigen Innen- und Außenwelt gegenüber ist also dort auf die Spitze getrieben, wo Mimus und Gestus die Rede nicht mehr (beipflichtend oder widerstreitend) begleiten und ergänzen, sondern ersetzen. So „übt auch bei Wagner das stumme Spiel in gewissen Augenblicken eine starke Kontrastwirkung aus, dann nämlich, wenn die betreffende Gestalt zwar sprechen möchte, aber nicht zu sprechen vermag, wenn es ihr die Rede verschlägt."[66] Derlei stumme Ohnmachtsgebärden, in denen noch etwas vom larmoyanten Rührstück der Empfindsamkeit fortlebt, finden sich an vielen Stellen der ‚Kindermörderin' (wobei freilich das zweideutige Verhältnis von Bühnenanweisung und -text bisweilen in ein Nacheinander, und nicht ein Nebeneinander, aufzulösen ist): Evchen, eben vergewaltigt, „fällt schluchzend ihrer Mutter auf die Brust" (17), „richtet sich auf, bedeckt aber das Gesicht mit dem Schnupftuch" (17); sie „kehrt das Gesicht ängstlich von der Thüre weg, und verbirgts mit den Händen" (29), als ihr Vater kommt und über die unverheiratete Kindsmutter im Hinterhaus herzieht, fällt ihm dann „plötzlich zu Füßen" (30), „verstummt und läßt den Kopf zur Erde sinken" (30), resigniert angesichts seiner Härte, „sich im Abgehn vor die Brust schlagend" (31); fällt ihrer Mutter „um den Hals" (47), fällt ihrem Vater „weinend um den Hals, und küßt ihn" (49). Die Mutter, nach Evchens Flucht, „rauft sich die Haare" (64), „ringt die Hände und weint" (66), „schlägt die Händ über dem Kopf zusammen, will reden, verstummt, und geht ab" (69); der Vater „wirft sich auf einen Stuhl" (66), „schlägt sich wider die Stirne" (66), „fällt wie betäubt auf einen Stuhl, die Händ auf den Tisch, den Kopf drauf" (71). Evchen schließlich, im Umkreis des Mords als einer melancholischen Raserei, „sinkt in die Kniee, und fällt zur Erden" (77), „fällt [...] mit dem Gesicht aufs Kopfküßen" (80), „fällt mit dem Gesicht wieder aufs Bett" (81). —

(65) Klotz: Geschlossene und offene Form ..., S. 145.
(66) Engert: Das stumme Spiel ..., S. 22.

Die Gewalt, die der bürgerlichen Familie angetan wird, bricht in gewaltsamen Gesten, mit Schlag und Fall, wieder aus ihr heraus, und spricht in ihnen sich aus; die Vergewaltigten suchen Halt, wenn nicht an Menschen, so an Dingen. „Die Geste setzt fort, wo die Sprache abbricht"[67], heißt es auch von den ‚Soldaten'; und über ‚Julius von Tarent' und seine Personen: „Am Abgrund der Sprachlosigkeit handeln oder argumentieren sie nicht, sondern postulieren den deutenden Betrachter. Die Szene, auf der die Handlung in letzten Zuckungen zum Erliegen kommt, präsentiert sich malerisch demonstrativ."[68]

Schritt um Schritt versagt die Sprache den Dienst: erst die individuelle, dann die (statt ihrer zitierte) kollektive. Und nur kurz vermag die Sprachlosigkeit über die Schwere dessen, was sie anzeigt, hinwegzutäuschen, indem sie, grimmassierend und gestikulierend, die Pantomime zu Hilfe nimmt — bis auch diese in Reglosigkeit erstarrt. Weit mehr widerfährt den Personen (und zwar, wie schon so oft gesagt, gesellschaftlich), als sie bewältigen können; erst verstummt, dann gefällt, bilden sie am Ende nur noch ohnmächtige Bestandteile in einem melancholischen Tableau.

(67) Höllerer: Lenz: ‚Die Soldaten', S. 139.
(68) Mattenklott: Melancholie . . ., S.101

8. Konstellationen

8.1. Titel

> Der Titel ist der Mikrokosmos des Werkes.
>
> Theodor W. Adorno[1]

Das Titelblatt, durch das die Leser (und von solchen ist ja aus bekanntem Grund eher zu reden denn von Zuschauern) gleichsam ins Stück eintreten, ist der Ort, wo dieses sich selber in Kürze benennt und beschreibt, annonciert und charakterisiert; was gewiß einen genaueren Blick wert ist.

Zunächst stellt sich dieses Stück hier vor als ‚Die Kindermörderinn‘, höchst lakonisch und höchst provokant zugleich: indem so nämlich die konkrete Person der Evchen Humbrecht entpersonalisiert wird, reduziert wird auf den kruden Tatbestand ihres kriminellen Delikts. Wenn dem auch Assoziationen aus dem Bereich trivialen Schauers nicht unwillkommen sein mögen, so verletzt es doch insgesamt die Grenze des in Literatur und Leben bisher Zulässigen; und tut dies schon mit seinem nach grammatischer Regel zwar falschen, wohl aber volkssprachlichen Ausdruck, der von Grimms und Adelungs Wörterbüchern nur widerwillig, von den Herausgebern nur selten zur Kenntnis genommen und meist in ‚Die Kindsmörderin‘ scheinbar gebessert wird[2] — womit sie freilich nicht bloß den Titel, sondern auch Wagners in ihm (und derart an bedeutender Stelle) Gestalt gewordenes Programm, die allem Sturm und Drang gemäße Eingemeindung des Volks samt seiner Sprache, übersehen oder verfälschen.

Zusätzlich noch wird der widrige Gegenstand, ein Verbrechen und eine Verbrecherin, im selben Atemzug als der eines ‚Trauerspiels‘ ausgewiesen (und nicht einmal, wie sonst, als der eines ausdrücklich ‘bürgerlichen’, wodurch der traditionell gewaltige Anspruch des Gattungsbegriffs immerhin abgemildert würde): eine dazumal kaum denkbare Konstellation von niederem Inhalt und hoher Form. Wie und wohin der Sturm und Drang die letztere zu ändern trachtete, ist bereits gesagt; festzuhalten bleibt, daß damit auch der erstere sich ändert. Sinkt die eine, so muß der andere steigen; denn würde die Schuld an einer Tat noch immer als das Privatissimum eines Einzelnen aufgefaßt und nicht, wie jetzt, dem außer ihm Liegenden angelastet, so könnte seine Person zwar zum Objekt von Haß und Abscheu, doch niemals von Mitleid und eben Trauer taugen, ließe auch Strafe niemals durch Vergebung sich ersetzen.

Als wäre des Provokativen damit nicht genug, führt das Titelblatt die Szene des Verbrechens auch noch gleich im Bilde vor (dieses freilich, jenem allgemeinen Charakter provozierender Widersprüchlichkeit durchaus entsprechend, mit

---

(1) Adorno: Titel, S. 8.
(2) Wagner/Fechner: Die Kindermörderin, S. 164.

einer klassizistischen Girlande drapierend). Die Unterschrift deutet auf den 6. Akt, schon damit auf einen Regelverstoß, und dort auf das knapp verspätete Erscheinen des Vaters nach kurz begangenem Mord als den dramatisch wohl dichtesten Moment, und so auf die solcher Zuspitzung fähige Dramaturgie des Autors; doch deutet das Bild ebenfalls, indem es nämlich ein bürgerliches Intérieur abschildert, auf dessen zentrale Funktion als tief melancholische Absperrung von äußerer Welt, ein Gefängnishaftes, dessen Ausschließlichkeit im wahrsten Sinne (wovon aus Anlaß des Schauplatzes auch schon die Rede war) es durch den schweren Rahmen noch betont.

Zuunterst trägt das Titelblatt des Dramas die Jahreszahl von dessen Erscheinen: 1776; als ob es ihrer noch bedürfte, ihm, dem Drama, seinen Platz im Kontext des Sturm und Drang zuzuweisen. Ist dies doch das bisher bereits so oft genannte Jahr, das die Bewegung auf ihrer Höhe zeigt und gleichermaßen ihre Repräsentanten: es erscheinen Brandes: Die Mediceer; Goethe: Ein Schauspiel für Liebende (später als ‚Stella‘); Leisewitz: Julius von Tarent; Hahn: Der Aufruhr zu Pisa; Maler Müller: Fausts Leben; Lenz: Der tugendhafte Taugenichts, Die Kleinen, Die Soldaten, Die Freunde machen den Philosophen; Klinger: Die Zwillinge, Die neue Arria, Simsone Grisaldo, Der Wirrwarr[3] — dies das Stück, dessen neuer Name zu dem eben der Bewegung wurde.

Wäre von Wagners Werk nichts außer dem Titelblatt erhalten, so vermöchte dieses doch von jenem, dessen Signum es ist, einem genaueren Blick nicht wenig preiszugeben.

8.2. Mord

> Der eigentlich dramatische Verlauf ist die stete
> Fortbewegung zur Endkatastrophe.
>
> Georg Wilhelm Friedrich Hegel[1]

Die ungemilderte Provokation (welcher Begriff noch zu entfalten sein wird), die das Drama dem Publikum bereits mit seinem Titel androht und mit dem unsittlichen Ort seines ersten Akts sogleich wahr zu machen beginnt, erfüllt sich aufs äußerste mit der unsittlichen Tat seines letzten; dieser wie jener haben denn auch die allermeiste Kritik auf sich gezogen. Ausweglos und unausweichlich, dauernd sich verengend und zuspitzend, läuft die Handlung zum Kindesmord hin, bringt ihn gar ungeschmälert auf die Bühne, anstatt solches, was eben die Kritik an beiden Akten beklagte, „mit poetischer Weisheit verhüllt hinter der Scene"[2] zu belassen. Das Tabu über die theatralische Darstellung von Verbrechen weiß sich im Einklang mit dem einschlägigen Horazischen Verdikt, das vor allem in der Diskussion des Medea-Stoffs, gleichfalls ja der einer Kinds-

---

(3) Zorn: Die Motive der Sturm- und Drang-Dramatiker, S. 14.
(1) Hegel: Ästhetik, S. 523 (Bd. 2).
(2) Schmidt: Heinrich Leopold Wagner, S. 81.

Die
Kindermörderinn

ein

Trauerspiel.

VI Aufzug pag 113

Leipzig,
im Schwickertschen Verlage.
1776.

mörderin, seine Macht bewies[3]; es fände eine weitere Stütze selbst in Merciers — von Wagner adaptierter — Dramaturgie: ihrer Verfügung zufolge sollten Verbrechen, als „schändliche Wunden der Menschheit", auf der Bühne stets „sorgfältig mit einem Schleyer bedeckt bleiben"[4]. Und dennoch hat sich Wagner mit großer Kühnheit auch hier gegen alle Autorität traditioneller und zugleich zeitgenössischer Poetik gestellt, hat nicht nur den Anfang, sondern auch das Ende der Geschichte vorgeführt: wie das Kind ins Leben und wie es ums Leben kommt; dies also in einer Szene, die jenen Endpunkt, weniger Höhe- denn Tiefpunkt der Entwicklung bildet, sie und das Stück, als dessen Zentrum, zusammenfaßt und ebenfalls, getreu seinem Titel, die gesamte diesbezügliche Thematik des Sturm und Drang ins Extrem treibt.

Evchen. Es wird ja so schon dunkel — (Frau Marthan vollends ab.) — mir vor den Augen! war mirs schon lang. — Fast war mir bang, ich brächte sie mir nicht vom Hals. — Ja! was wollt ich doch? — warum schickt ich sie aus. — Mein armes bischen Verstand hat, glaub ich, vollends den Herzstoß bekommen! — (das Kind schreyt wieder.) Singst du? singst? singst unsern Schwanengesang? — sing, Gröningseckchen! sing! — Gröningseck! so hieß ja dein Vater; (nimmts vom Bett wieder auf und liebkosts.) — Ein böser Vater! der dir und mir nichts seyn will, gar nichts! und mirs doch so oft schwur, uns alles zu seyn! — ha! im Bordel so gar es schwur! — (zum Kind) Schreyst? schreyst immer? laß mich schreyn, ich bin die Hure, die Muttermörderinn; du bist noch nichts! — ein kleiner Bastert, sonst gar nichts; — (mit verbißner Wuth.) — sollst auch nie werden, was ich bin, nie ausstehn, was ich ausstehn muß — (nimmt eine Stecknadel und drückt sie dem Kind in Schlaf, das Kind schreyt ärger, es gleichsam zu überschreyn singt sie erst sehr laut, hernach immer schwächer.) (79 f.)

Es gilt die (bereits vom hier einsetzenden Titelbild der Ausgabe nahegelegte) Behauptung zu beweisen, daß in diesem (daher so ausführlich zitierten) Sprechen und Handeln der Evchen Humbrecht das Motivgewebe des Dramas, und nicht nur seines allein, gleichsam sich verdichte und verknote. Unbestreitbar zunächst, daß — ausgelöst durch die Nachricht vom Tod der Mutter — hier die Handlung sich erfüllt. Ineins mit ihr erfüllen sich nun sämtliche kunstvoll eingestreuten Vorausdeutungen, gerade auch die des unmittelbar vorangehenden Dialogs: Evchens Bitte um baldige Rückkehr der Marthan, „sonst möchts zu spät seyn" (79), trifft ins Schwarze, trotz sofortiger Abschwächung, die dann freilich ebenso schnell zurückgenommen wird; wie das Stück hier überhaupt, ganz Sturm und Drang, aufs fürchterlichste zwischen den Polen Zärtlichkeit und Grausamkeit, Sentimentalität und Brutalität oszilliert. Es bewahrheitet sich auch in unvermutet schlimmer Weise die Angst der Marthan — „ich thät mich Sünd förchten, sie jetzt allein zu lassen" (79) — und schlimmer noch, daß (und wie!) Evchen hier ja bloß deren Rat, das Kind betreffend, befolgt: „such sies ein wenig zu geschweigen" (73).

Mit dem hier verzweifelt logisch zu Ende geführten Handlungsfaden verschlingt sich ein anderer. Evchen tötet ihr Kind in einem „Anfall von Rase-

---

(3) Wagner/Fechner: Die Kindermörderin, S. 168.
(4) Wagner/Fechner: Die Kindermörderin, S. 68.

rei"[5]. Das ist dem Sturm und Drang, besonders wo er Verbrechen und mehr noch Kindsmord zeigt, eigentümlich als Mittel zur Entschuldigung des Täters; auch als Ausdruck seiner programmatischen Betonung von Affekt, Leidenschaft, kurz Emotion gegenüber dem bloß Rationalen, Verstandes- und Vernunftgemäßen. Doch ist es ihm auch eigentümlich in einem tiefgründigeren Sinn: als Ausdruck der ihm zugrundeliegenden melancholischen Disposition. „Das Rasen des Melancholikers beweist nur dessen kreatürliche Unmündigkeit. Der Gravitation gehorchend fällt er stets in das dumpf Tierische zurück, wo die Affekte mit der Gewalt von Naturkatastrophen sich austoben."[6] „Das Rasen des Melancholikers ist Gestik seiner Sprachlosigkeit."[7] Wer seinen Mund nicht aufmachen kann oder darf, ist eigentlich (mag dies auch der Etymologie widersprechen) unmündig und sprachlos; am Ende, wenn noch der Gestus erlahmt, auch reglos. Dieses Versagen von Verständigung wird hier, und zwar bereits im partnerlosen Monolog, mit allen seinen Vorstufen vorgeführt: schichtgebundene Idiomatik, situationsgebundener Ausdruck, Stammeln, unartikulierte Urlaute, zeitweiliges Verstummen. Die hier noch einmal bündig zusammengefaßten Phänomene der Sprache im Sturm und Drang[8] sind ursprünglich die seiner Melancholie als des Gefühls, der Außenwelt unterlegen zu sein, ihr nicht mit gleicher Macht und gleichem Recht tätig entgegentreten zu können oder zu dürfen. Wobei, wie erinnerlich, das von Melancholie und Wahnsinn stigmatisierte Evchen dergestalt für nicht wenige Repräsentanten der Epoche einsteht.

Nochmals also wird Evchen hier, paradoxerweise inmitten ihrer Tat, nicht als Täterin, sondern als Opfer gezeichnet; als das der Gesellschaft, und das heißt auch ihres gesellschaftlich niedergehaltenen Ichs. Sie wird derart zugleich entschuldigt, objektiv und subjektiv: handelnd in hoffnungsloser Lage, ist sie dabei außer sich und kann selbst dafür nichts. Außer Zweifel steht, daß solche Einsicht in die Gespaltenheit von Individuum und Welt, entsprechend der dramatischen Form und ihr vorausgesetzt, ein offenes und kein geschlossenes Bild von diesen hat, ein realistisches, problematisches, widersprüchliches, deshalb bewegtes, fernab jeder auf Glättung, Beschwichtigung und Harmonisierung abzielenden Konzeption. Die freilich bot stets die Basis zur Kritik am Stück und an der Szene; denn Aufklärung, Klassik, Klassizismus vermöchten dem beizupflichten, was die Hegelsche Ästhetik als allgemeinen Grundsatz dekretiert:

„Ebenso berühren die Ausbrüche unversöhnter Zerrissenheit und haltungsloser Wut einen gesunden Sinn nur in geringem Grade; besonders aber erkältet das Gräßliche mehr, als es erwärmt. Und da kann der Dichter die Leidenschaft noch so ergreifend schildern, es hilft nichts: man fühlt das Herz nur zerschnitten und wendet sich ab. Denn es liegt nicht das Positive, die Versöhnung darin, welche der Kunst nie fehlen darf."[9]

---

(5) Rameckers: Der Kindesmord ..., S. 109.
(6) Heckmann: Elemente des barocken Trauerspiels, S. 150.
(7) Heckmann: Elemente des barocken Trauerspiels, S. 153.
(8) Balet/Gerhard: Die Verbürgerlichung der deutschen Kunst ..., S. 446 f.
(9) Hegel: Ästhetik, S. 527 (Bd. 2).

Noch aber ist dem Konkreten dieser Szene nicht Genüge getan; auffällig, mithin bedenkenswert erscheint in ihr das Lied.

Eya Pupeya!
Schlaf Kindlein! schlaf wohl!
Schlaf ewig wohl!
Ha ha ha, ha ha! (wiegts auf dem Arm.)
Dein Vater war ein Bösewicht,
Hat deine Mutter zur Hure gemacht;
Eya Pupeya!
Schlaf Kindlein! schlaf wohl!
Schlaf ewig wohl!
Ha ha ha, ha ha! (80)

Nun kann nach dem bereits Gesagten nicht mehr verwundern, daß die Person in ihrer Ohnmacht und zu deren Ausdruck beim kollektiven Reservoir der Sprache Zuflucht sucht: es leiht ihr die Stimme, die sie angesichts der Übermacht des Geschehens selber nicht mehr hat. Dieses Volkslied, in das zudem, formal wie inhaltlich, die Reime eines Volksmärchens leise hineinzuklingen scheinen („mein Mutter, der mich schlacht, / mein Vater, der mich aß"[10]), desselben Märchens immerhin, aus dem sich Gretchens Lied in der Kerkerszene schon des ‚Urfaust' speist, so daß, wie hier erneut offenbar, beide Dramen voneinander gewußt haben müssen: dieses Lied also ist nicht einmal durchgängig geformte Sprache. Darin erweist sich vollends die Ohnmacht der Person, daß sie nicht nur der individuellen Sprache entbehrt, sondern auch die kollektive nicht zu zitieren vermag. Der vielfach durchbrechende, schaurige Urlaut des „ha ha", ein ins andere Extrem umgeschlagenes Weinen, zerbricht das strophische Gefüge. Aber nicht einmal dieses ist in Wirklichkeit eins, wurde statt dessen aus mehreren Liedern zusammengestückt; was, als „Zeichen für die Bewußtseinsgespaltenheit der Wahnsinnigen"[11], seinen Sinn hat. Und noch in einem zweiten zeugt das Lied von ihrem Zustand. Allgemein im offenen Drama ist es gekennzeichnet durch „stereotype Wiederkehr" der Elemente, sein „Strukturprinzip ist die Kreisbewegung"[12]; genau wie Evchen hier in einem auswegslosen Zirkel umherirrt. Was übrigens darauf aufmerksam macht, daß das Lied im offenen Drama — „expositionslos", „nur gering verhakt", „atektonisch und reihend"[13] wie es ist — dessen Gesamtform im Kleinen konzentriert widerspiegelt.

Mehr noch: ein Lied, das mit Lachen und Weinen, Singen und Schreien ein schlimmes Wechselspiel treibt; das den Beginn des hier endenden Geschehens, die Verführung, angesichts eben dieses Endes schnell auf die knappste Formel bringt; das, wie schon in seiner Tradition angelegt[14], Schlaf und Tod miteinander verquickt, gar identifiziert, ablesbar auch an der feinen doch jähen

(10) J. und W. Grimm: Von dem Machandelbom, S. 265.
(11) Hinck: Metamorphosen eines Wiegenliedes . . ., S. 294.
(12) Klotz: Geschlossene und offene Form . . ., S. 203.
(13) Klotz: Geschlossene und offene Form . . ., S. 200.
(14) Hinck: Metamorphosen eines Wiegenliedes . . ., S. 292 f.

Variation vom „schlaf wohl!" zum „Schlaf ewig wohl!"; das, hört der Zuschauer im Bann des szenischen Bildes („wiegts auf dem Arm") nicht so genau hin, gewissermaßen am Rande des Abgrunds ein heiles Mutter-Kind-Verhältnis beschwört, welches doch der Singenden auf immer versagt bleibt. Widersprüchlich ist das Lied in sich und zur Handlung — hierdurch dem der alten Mutter Wesener aus den genau gleichzeitigen ,Soldaten' sehr nahe[15] — und erzeugt so, das wurde mit Recht gesagt, die „grellsten Dissonanzen"[16]. In diesem — so ein zwar anläßlich Schillers geprägtes Wort — „Klang eines kranken Volkslieds"[17] und der Szene, deren Interludium es gleichsam ist, treffen sich die Themen und Motive des Dramas als eines selber schon repräsentativen Konzentrats, ohne freilich in harmonischer Auflösung sich zu versöhnen.

8.3. Schluß

Verehrtes Publikum, jetzt kein Verdruß:
Wir wissen wohl, das ist kein rechter Schluß.
Vorschwebte uns: die goldene Legende.
Unter der Hand nahm sie ein bitteres Ende.
Wir stehen selbst enttäuscht und sehn betroffen
Den Vorhang zu und alle Fragen offen.
[...]
Der einzige Ausweg wär aus diesem Ungemach:
Sie selber dächten auf der Stelle nach,
Auf welche Weis' dem guten Menschen man
Zu einem guten Ende helfen kann.
Verehrtes Publikum, los, such dir selbst den Schluß!
Es muß ein guter da sein, muß, muß, muß!

Bertolt Brecht[1]

Das Drama bewahrheitet sich als offenes erst recht durch seinen Schluß, der keiner ist: kein Abschluß, sondern Abbruch[2], worin er, quasi seitenverkehrt, aufs genaueste dem Beginn korrespondiert. „Die äußere Handlung drängt über die Grenzen, die durch Anfang und Ende des Dramas gegeben sind, hinweg. Das Geschehen setzt unvermittelt ein, und es bricht unvermittelt ab."[3] Für ,Die Kindermörderin' gilt auch hier noch einmal dasselbe wie für ,Die Soldaten': sie „bietet sich dar als Ausschnitt"[4]. Zwar ist das Spiel nun zu Ende, doch auf eine

---

(15) Lenz: Die Soldaten, S. 208; ebenso: Büchner: Woyzeck, S. 15.
(16) Hinck: Metamorphosen eines Wiegenliedes ..., S. 294.
(17) Bloch: Die Kunst, Schiller zu sprechen, S. 93.
(1) Brecht: Der gute Mensch von Sezuan, S. 1607.
(2) Schmidt: Lenz und Klinger, S. 43.
(3) Klotz: Geschlossene und offene Form ..., S. 219.
(4) Höllerer: Lenz: ,Die Soldaten', S. 131.

Weise, die nicht als befriedigend empfunden werden kann[5] — als weder formal noch inhaltlich gelungene Lösung. „In einem Sturm- und Drangdrama reinster Art gibt es die triumphierende Sinn- und Wertverkündigung am Ende nicht, ja es ermangelt überhaupt notwendig des sittlich-geistigen Gehalts im Ausgang."[6]

Ungeheuer eindrucksvoll ist freilich, kurz bevor der Vorhang fällt, der stumme Einmarsch von Blutschreyern und Geschworenen. Sie sind bloß atmosphärische Figuren, wie nur wieder das offene Drama sie kennt, aber um sie ist es dunkle Nacht. „Ihnen obliegt es, in bezeichnenden Situationen die Personen gleichsam als Fluidum zu umkleiden. [...] In ihrem dramatischen Stellenwert sind sie den Sachen gleichgeordnet. Sie sind gewissermaßen verdinglicht."[7] Sie kommen als Rächer, ungleich ernster und mächtiger als ihre Vorboten, Fausthämmer und Fiskal, und lassen keinen Ausweg offen; zu sprechen brauchen sie nicht, denn aus ihnen spricht ihr Amt, spricht die Stimme des Gerichts, dem Evchen nun verfällt.

Doch verfällt sie ihm wirklich? Noch scheint es ja einen Ausweg zu geben, und Gröningseck, der auf so dramatische Weise zu spät gekommene Retter, deutet ihn an: „Und ihnen nebst ihrer ganzen kriminalischen Unfühlbarkeit zum Trotz, mein Herr! will ich mich heut noch auf den Weg nach Versailles machen, bey der gesetzgebenden Macht selbst Gnade für sie auszuwürken, oder —" (84). Darin wird ihm von Humbrecht sekundiert: „Wenn sie Geld brauchen, mein Herr! Reisegeld! sie verstehn mich doch? — tausend, zwey, dreytausend Gulden auch liegen parat zu Hauß! — und zehntausend gäb ich drum, wenn der Ball mit allen seinen Folgen beym Teufel wär!" (85). Und da dies das allerletzte Wort des Dramas ist, erscheint trotz der Skepsis des Fiskals — „Das Gesetz, welches die Kindermörderinnen zum Schwerdt verdammt, ist deutlich, und hat seit vielen Jahren keine Exception gelitten; ist nun das Faktum, wie es der Anschein gibt, auch klar, so können sie die Müh sparen" (84) — gegen die Gröningseck ja sich wandte, trotz ihr also Rettung nicht unmöglich; galt doch Frankreich ohnehin als Musterland der Korruption und (nichts anderes meint die Rede vom Reisegeld) der Bestechung[8], was hier, dem kritischen Charakter des gesamten Stücks getreu, zum Schluß noch Gegenstand der Anklage wird. Und zum selben Schluß wird nun auch ganz beiläufig der Motor aufgedeckt, der das Gesellschaftsgefüge überhaupt erst in Bewegung und den Klassenkonflikt zur Welt brachte: der ökonomische Zuwachs des Bürgertums als des eigentlichen Wertproduzenten, wodurch es steigen, der Adel aber gleichwohl nicht sinken wollte.

Ob Rettung oder Untergang: indem das Drama dies im Ungewissen und in der Schwebe läßt, somit jeder Lösung sich versagt, verweist es darauf, daß die von ihm dargestellten Konflikte auch in der Realität ungelöst und nur in ihr,

(5) Schmidt: Heinrich Leopold Wagner, S. 93 f.
(6) May: Beitrag zur Phänomenologie des Dramas . . ., S. 267.
(7) Klotz: Geschlossene und offene Form . . ., S. 148.
(8) Balet/Gerhard: Die Verbürgerlichung der deutschen Kunst . . ., S. 39—44.

der politischen Praxis, nicht aber in der ästhetischen zu lösen sind. Schickte es das Publikum nicht mit dem Stachel ausgebliebener Befriedigung nach Hause, dann müßte es die Zustände entweder, sie bloß abbildend, bestätigen oder (was schlimmer wäre) sie überspringen, insofern ein glücklich gelöster Einzelfall über das allgemein ungelöste Unglück hinwegtäuschte. Letzteres hat Kracauer an trivialen Filmfabeln decouvriert:

„Sie ist sehr mitleidig, die Gesellschaft, und möchte sich zur Beruhigung ihres Gewissens des Gefühlsüberschusses entledigen; vorausgesetzt, daß sie bleiben kann, wie sie ist. Aus Mitgefühl reicht sie dem einen oder dem anderen der Versinkenden die Hand und rettet ihn zu ihrer Höhe, die sie für eine Höhe hält. So verschafft sie sich die moralische Rückendeckung, ohne daß die Unterklasse aufhörte, unten zu bleiben, und die Gesellschaft Gesellschaft. Im Gegenteil: die Rettung einzelner Personen verhindert auf glückliche Weise die der ganzen Klasse, und ein in den Salon beförderter Prolet gewährleistet die Fortdauer vieler Kaschemmen."[9]

Unleugbar zwar ließe auch ein positiver Schluß sich denken, der die Rettung des Einzelnen so vollbrächte, daß sie die der Gesamtheit utopisch-symbolisch als noch ausstehende und drängende bewußt machte, ohne sich trügerisch an deren Stelle zu setzen; genau wie auch ein negativer, also die bare Wiedergabe des real ausweglosen Elends fern jeder Beschönigung oder Begütigung, dieses erst in schmerzhafte Helligkeit tauchte und laut nach einem Ausweg riefe, entsprechend dem Marxschen Wort:

„Man muß den wirklichen Druck noch drückender machen, indem man ihm das Bewußtsein des Drucks hinzufügt, die Schmach noch schmachvoller, indem man sie publiziert. Man muß jede Sphäre der deutschen Gesellschaft als die partie honteuse der deutschen Gesellschaft schildern, man muß diese versteinerten Verhältnisse dadurch zum Tanzen zwingen, daß man ihnen ihre eigne Melodie vorsingt!"[10]

Dennoch versagt sich das Drama am Schluß dessen Eindeutigkeit zugunsten seiner Offenheit; mit der aufklärerischen, dem Sturm und Drang so gemäßen, ja agitatorischen Wirkungsabsicht, daß das Unbefriedigende eben am Drama als das Unbefriedigende an der Gesellschaft erkannt und erst dieses bereinigt werde, damit jenes dann von selbst sich bereinige. Derart mit nochmaliger, indirekter Didaktik, Tendenz und Provokation versagt sich das Drama so auch dem Publikum und dessen angeblichem „Recht, zu verlangen, daß sich in dem Verlaufe und Ausgang der dramatischen Handlung tragisch oder komisch die Realisation des an und für sich Vernünftigen und Wahren vollbracht erweise"[11]. Nicht lange, dann wurde dieses Recht eingeklagt und gewährt: Wagner selbst sah sich zur Harmonisierung veranlaßt, mit verhindertem Kindesmord und bevorstehender Heirat als Happy-End, welches an Trivialität kaum zu überbieten ist.

„Wenn die Kunst verspricht, daß am Ende das Gute siegt und das Böse untergeht, ist in dieser Form das Versprechen das genaue Gegenteil der Wahrheit. Die authentischen

---

(9) Kracauer: Die kleinen Ladenmädchen gehen ins Kino, S. 284.
(10) Marx: Zur Kritik der Hegelschen Rechtsphilosophie, S. 381.
(11) Hegel: Ästhetik, S. 533 (Bd. 2).

Kunstwerke versagen sich das Happy-End. Sie müssen es sich versagen, denn es ist in der ästhetischen Mimesis unfaßbar, unformbar. Das Happy-End ist das Andere der Kunst."[12]

Hier aber, mit open end statt happy end, bleibt das Drama offen, ungelöst; und daß es diese Spannung, diese scheinbare Schwäche aushält, ist seine Stärke. Das Drama zeigt am Schluß nicht, was ist, auch nicht, was nicht ist, sondern: was vielleicht ist, oder: was ist, aber nicht sein muß, auch anders sein könnte. Der, so der Zeitgenosse Johann Georg Schlosser, „traurige Ausgang dieses so guten, so interessanten und wahren Stücks"[13] zeigt die Notwendigkeit als bloß scheinhafte, vielmehr aber eine Möglichkeit, wenngleich die schlimmste, sowie die in den hiesigen und jetzigen Zuständen liegenden Gründe, weshalb gerade sie eintraf und die anderen scheiterten; innere und äußere Gründe, die einen als Reflex der anderen, das individuelle Verhalten als gesellschaftlich präformiertes: „Vielleicht mit mehr Courage, weniger Scham / Wärn sie jetzt unterm Hut. Es kam wies kam."[14]

---

(12) Marcuse: Bemerkungen zum Thema Kunst und Revolution, S. 18.
(13) Wagner/Fechner: Die Kindermörderin, S. 145.
(14) Lange: Die Gräfin von Rathenow, S. 85.

9. Epilog

> Nichts läßt sich herausinterpretieren, was nicht
> zugleich hineininterpretiert wäre. Kriterien
> dafür sind die Vereinbarkeit der Interpreta-
> tion mit dem Text und mit sich selber, und
> ihre Kraft, die Elemente des Gegenstandes
> mitsammen zum Sprechen zu bringen.
>
> Theodor W. Adorno[1]

Die Untersuchung widerspräche ihren eigenen methodischen Prinzipien, unter
denen sie angetreten ist, wollte sie nun versuchen, ihren Gegenstand — ,Die
Kindermörderin' des Heinrich Leopold Wagner — auf den Begriff zu bringen;
vielmehr hat sie ihr Wesen gerade darin, daß sie ihn interpretierend nach allen
Seiten entfaltete. Immerhin mag auf die Schlüsselwörter verwiesen werden, die
diese Interpretation quasi leitmotivisch begleitet haben: die Rede war von den
Personen des Dramas, und sie erwiesen sich als an seine Handlung, Zeit, Ort
und Sprache ausgeliefert; macht-, rat-, sprach- und reglos sind sie seine Ob-
jekte, nicht Subjekte; sie spielen nicht mit, sondern ihnen wird mitgespielt;
Melancholie heißt ihr Stigma. Dies alles ist, wie die Untersuchung als literatursoziologische (und zwar bis in die formalen Details hinein) zeigen wollte, Reflex einer gesellschaftlichen Situation in einem gesellschaftlichen Prozeß; das
Drama ist dessen Brennglas und Hohlspiegel, Destillat und Konzentrat, exemplarische und repräsentative Kristallisation: das Ganze im Einzelnen, das
Politische im Privaten, das Soziale im Literarischen.

Gleichwohl ist es mehr als ein bloßer Abklatsch der Wirklichkeit; denn getreu seiner realistischen oder naturalistischen Intention muß es, unter unzuläng-
lichen Verhältnissen, Unzulängliches vorführen — Fragmente, die den Abstand
zum Ideal demonstrieren, ihn somit kritisieren und für seine Beseitigung plä-
dieren. So wird das Drama freilich zum „Tendenzstück"[2], dies aber nach keiner
anderen als der von Engels gesetzten (und unverkennbar an Hegel ausgerichteten[3]) Norm:

„die Tendenz muß aus der Situation und Handlung selbst hervorspringen, ohne daß
ausdrücklich darauf hingewiesen wird, und der Dichter ist nicht genötigt, die geschichtliche zukünftige Lösung der gesellschaftlichen Konflikte, die er schildert, dem Leser in
die Hand zu geben."[4]

Viele der Unzulänglichkeiten, die dem Drama angerechnet werden könnten,
sind daher nicht seine eigenen, sondern die des von ihm Dargestellten; daran,

---

(1) Adorno: Der Essay als Form, S. 12.
(2) Schmidt: Heinrich Leopold Wagner, S. 89.
(3) Hegel: Ästhetik, S. 534 (Bd. 2).
(4) Engels: Brief an Minna Kautsky ..., S. 394.

und eben nicht an die Darstellung, wäre der Maßstab anzulegen. Hermann Hettner, von allen Literaturhistorikern einer der ersten und zugleich verständnisvollsten, hat jenen falschen Anspruch zurückgewiesen:

„Die Fehler und Schwächen, in die das bürgerliche Drama bisher meist verfallen ist, sind durchaus nicht Fehler und Schwächen seines inneren künstlerischen Wesens; es sind nur die Fehler und Schwächen jenes Zeitalters, dem es zunächst seinen Namen und Ursprung zu danken hat."[5]

Doch schon Wagner selbst hat, ganz in diesem Sinne, die Mängel des Werks aus denen der Zeit erklärt; in seiner Abrechnung mit Voltaire prophezeite er dessen Schriften die völlige Vergessenheit, mit alleiniger — und bezeichnender — Ausnahme des ‚Traité sur la tolérance‘, „als welcher seinem Verfasser ebensosehr zur Ehre gereicht, als schwach und barbarisch die Zeiten müssen gewesen sein, die eines solchen Traktats bedurften"[6]. Auf die Zeit, die seiner ‚Kindermörderin‘ bedurfte, fällt von hier aus kein freundliches Licht.

Hier wird auch klar, daß dem Drama nur in seinem eigenen Kontext Gerechtigkeit widerfahren kann; und die Untersuchung widerspräche ebenfalls ihren Prinzipien, vor allem dem Satz von der Relativität ihres Standorts, wollte sie nach traditionellem Muster mit einem definitiven Urteil schließen. Der Rang, den sie ihrem Gegenstand zuspricht, mag allenfalls ein relativer sein, indem sie ihn (wozu die zahlreichen Querverweise, besonders auf Lenz, dienen sollten) zwischen die Vertreter seiner Bewegung stellt. Hinter ihnen braucht er nicht zurückzustehen; an ihrem Verdienst hat er Anteil, gewiß nicht den größten, aber auch nicht den kleinsten. (Und es wäre zu fragen, ob in irgend einem Drama dieser Epoche deren Stilzüge reiner hervortreten als in der ‚Kindermörderin‘ des Heinrich Leopold Wagner.) Wie eine vorweggenommene Bestätigung dieses Resultats erscheint ein Dokument, zu dem der Weg nach Straßburg führt.

„Dann zur höchsten Spitze des Münsters empor, ganz wieder auf den Spuren des Sturm und Drang, der eben erst verklungenen Expression. Bezeichnend wirken sogar die Jahrzahlen früherer Besucher, auf der Plattform, im Inneren des Turms eingeritzt. Sonst so belanglos, sind sie hier lehrreich, wie sie ansteigen vom Anfang des achtzehnten Jahrhunderts an, gerade in dessen Mitte kulminieren, gleich Marken eines eingetretenen Hochwassers."[7]

Und dort oben findet sich dann eine nachgerade tiefsinnige Inschrift[8]; Namen, deren Zusammengehörigkeit eine gemeinsame Umrandung noch betont:

G+F COMITES DE STOLBERG
GOETHE. SCHLOSSER. KAUF-
MANN. ZIEGLER. LENZ.
WAGNER, V. LINDAV. HERDER.

---

(5) Hettner: Das moderne Drama, S. 202.
(6) Wagner: Voltaire am Abend seiner Apotheose, S. 1530.
(7) Bloch: Am Straßburger Münster, S. 481 f.
(8) Froitzheim: Zu Strassburgs Sturm- und Drangperiode, S. 47.

LAVATER. PFENNINGER.
HAFFELIN. BLESSIG. STOLZ.
TOBLER. ROEDERER. BAS-
SAVANT. KAISER. EHRMANN.
M. M. ENGEL 1776.

Straßburg, sein Münster als Inbild und Inbegriff des Sturm und Drang, dessen wichtigste Repräsentanten, und das berühmte Jahr: das sind die Koordinaten von Wagners Namen in der Literaturgeschichte, deren gleichnishafte Abbreviatur hier zu lesen ist. In dieser wie in jener behauptet der Autor der ‚Kindermörderin' einen Platz an guter Stelle und in guter Nachbarschaft. Wie in geheimem Einverständnis wird er gleich nach Lenz genannt: „Auch die Litteraturgeschichte kann sich [...] diese Zusammenstellung wol gefallen lassen."[9]

Das Drama derart in seinen historischen Kontext hineinzustellen, bedeutet aber keineswegs, es aus dem aktuellen herauszunehmen; erst als geschichtliches tritt es in eine fruchtbare Beziehung zum gegenwärtigen Stand des Prozesses: des sozialen, aber zugleich des literarischen. So beantwortet sich noch einmal, und doppelt, am Ende des Weges die Frage nach dem Nutzen, den die Beschäftigung mit eben dem Drama erbringt:

„Weil man nicht nur aus dem Kampf lernt, sondern auch aus der Geschichte der Kämpfe. Weil die Ablagerungen überwundener Epochen in den Seelen der Menschen noch lange liegen bleiben. Weil im Kampf der Klassen der Sieg auf einem Kampfplatz ausgenutzt werden muß zum Sieg auf einem andern und die Lagen vor dem Sieg ähnliche Züge aufweisen können."[10]

Und:

„Weil aus der Form eines Kunstwerks immer Unfragwürdiges spricht, gelingt die Erkenntnis solcher formalen Aussage meist erst einer Zeit, der das einst Unfragwürdige fragwürdig, das Selbstverständliche zum Problem geworden ist."[11]

Auf eine Würdigung im üblichen Sinne soll daher verzichtet und kein Schlußstrich gezogen werden in dem hiermit wieder eröffneten Dialog zwischen dem so lange verschwiegenen Werk und seinen jeweiligen Rezipienten. Dieses Recht zur unvoreingenommenen Interpretation hätte Wagner selbst als letzter bestritten:

„Nur soviel muß ich erinnern, daß sichs von den ältesten Zeiten bis auf die Unsre jeder Schriftsteller, der sein Werk öffentlich zur Schau ausstellte, mußte gefallen lassen, schiefe und grade, gesunde und alberne, gegründete und bodenlose Urtheile darüber anzuhören oder auch zu lesen. In Werken des Witzes geht es bey uns kein Haar besser her als zu Boileaus Zeiten in Paris; jeder glaubte sich berechtigt, den Werth und Unwerth solcher Produkten abzuwägen und im Grund ist dies das kleinste Recht, das man ihm für sein baar ausgelegtes Geld zugestehen muß."[12] „Sobald ein Buch die Presse verläßt, hat sein

---

(9) Schmidt: Heinrich Leopold Wagner, S. 162.
(10) Brecht: Ist ein Stück wie ‚Herr Puntila und sein Knecht Matti'..., S. 242 f.
(11) Szondi: Theorie des modernen Dramas, S. 12 f.
(12) Zit. nach Wolf: Heinrich Leopold Wagners Verteidigung..., S. 284.

Verfasser in der Gelehrten Republik keinen andern Rang mehr, als den ihm sein eigen Werk verschafft. Ses écrits tous seuls doivent parler pour lui."[13]

Wagner soll diesen Epilog denn auch selbst beschließen: mit dem ‚Epilogus' des Hanswurst aus ‚Prometheus, Deukalion und seine Rezensenten'. Daß es die Schlußrede einer volkstümlichen Figur ist, in volkstümlicher Sprache, zumal dem Dialekt von Straßburg, anläßlich einer Verteidigung des ‚Werther', die dazu noch mit gutem Grund dessen Autor zugeschrieben werden konnte — dies alles erhellt blitzartig noch einmal die Art und den Ort dessen, was Wagner wollte. Die Rede mutet nachgerade prophetisch an, denn das Schicksal, vor dem Wagner das Werk Goethes zu retten trachtete, ist in größerem Ausmaß seinem eigenen widerfahren; und auf das Recht, das er jenem zu verschaffen suchte, hat es und hat er denselben Anspruch.

Notiert die Lehr', die üch Hannswurst gab.
Thut doch, bitt' üch ums Himmels willä
Die g'lehrte Welt nit immer mit Unsinn füllä
Schwätzt ä bissel wenger unn denkt desto mehr,
's g'reicht üch wärli zur größeren Ehr.
Müßt nit glich alle Dreck 'rus sagä,
Wenn ihr nit wöllt d'Schellenkapp' tragä.
[...]
Aber so macht's halt euer scheußlich' Kritik
Verfolgt's Genie, erstickt manch Mästerstück.
Hatt läder auch mich vom Schauplatz triebä,
O wär' i doch druf bliebä!
Mei Paitsch hat manche Narr g'scheiter gemacht —
Auch euch, ihr Herrn? wünsch' g'ruhige Nacht.[14]

(13) Zit. nach Wolf: Heinrich Leopold Wagners Verteidigung..., S. 287.
(14) Wagner: Prometheus..., S. 379 f.

Exkurs 1: Merciers Vorgriff

> Theorie und Praxis wirken immer auf einander; aus den Werken kann man sehen, wie es die Menschen meinen, und aus den Meinungen voraussagen, was sie tun werden.
>
> Johann Wolfgang Goethe[1]

Heinrich Leopold Wagner hat, anders als viele seiner Zeitgenossen, keine dramaturgische Theorie ausgebildet; sie wurde im Vorhergehenden aus seiner dramatischen Praxis erst rekonstruiert und war doch aufs genaueste schon vorgebildet in Louis-Sébastien Merciers ,Du théâtre ou nouvel essai sur l'art dramatique' — einem Traktat, den er, Goethes Anregung folgend, unter dem Titel ,Neuer Versuch über die Schauspielkunst' sehr einfühlsam übersetzt und ,Mit einem Anhang aus Goethes Brieftasche' herausgegeben hat. In ihm, als einem Programm und theoretischen Korrelat zum praktischen Vorbild Shakespeares, konnte der Sturm und Drang sich erkannt wie zugleich bestätigt fühlen; von ihm, und das ist auch ein Verdienst seines Bearbeiters, ging denn auch erhebliche Wirkung aus. Zumal ja dieses äußerst streitbare Pamphlet in der Höhle des Löwen entstanden war, insofern hier nämlich ein Franzose selber mit den französischen Klassikern abrechnete, die mit ihren einstmals gültigen Normen von den revolutionären Literaten deutscher Sprache aufs heftigste befehdet wurden. Sehr präzis charakterisierte Klinger den Autor als Wahlverwandten und Verbündeten, wenn er schrieb, Mercier habe „sich nach Frankreich verirrt", sei aber eigentlich „zum Autor für das große deutsche Publikum bestimmt"[2] gewesen. Und Goethe gab dem Traktat dieses Wort auf den Weg: „Das Buch mag immer für Deutschland brauchbar seyn, das in den Taschen seiner französischen Pumphosen viel Wahres, Gutes und Edles mit sich herumträgt."[3] Darin ist freilich schon ein wenig Distanz spürbar: denn Mercier war in allem „ein Radicaler, wie als Politiker, so als Aesthetiker", und saß „auf der äussersten Linken"[4]. Mercier nämlich, das ist der Emigrant und spätere Abgeordnete im Nationalkonvent, Freund von Robespierre und Desmoulins; das ist aber auch der ungemein produktive Literat. Nur kurz mögen hier einige seiner Werke für ihn sprechen, und so zugleich für seine Affinität zum deutschen Sturm und Drang: die bürgerlichen Trauerspiele; das in den ,Songes philosophiques' enthaltene Prosagedicht ,La mélancolie'; das vielbändige und erfolgreiche ,Tableau de Paris', die erste dem Großstadtproletariat gewidmete Sozialreportage, im naturalistischen Sinn auf Wirklichkeit und Wirksamkeit bedacht; und ,L'an 2440', der erste utopische Roman, der nicht in einem Jetzt und Irgendwo, son-

(1) Goethe: Aus meinem Leben, S. 263 (Bd. 9).
(2) Klinger: Betrachtungen und Gedanken . . ., S. 61 f. (Bd. 12).
(3) Neuer Versuch über die Schauspielkunst, S. 485.
(4) Schmidt: Heinrich Leopold Wagner, S. 56.

dern einem Hier und Irgendwann angesiedelt ist, derart viel konkreter die wünschbaren Zustände als zukünftige, durch Fortschritt erreichbare ausgebend. Aber genau solche Kongruenz des Ästhetischen mit dem Politischen, der Schrift mit der Tat als die zweier Wege zu demselben Ziel empfahl ihn den Deutschen, die vergebens beides zur Deckung bringen wollten; empfahl ihn vor allem aber Wagner. Merciers Credo könnte sein eigenes und man selber fast versucht sein, den Namen für ein Pseudonym zu halten. An Merciers und Wagners Schrift, die über die zahlreichen dramaturgischen Versuche des Sturm und Drang[5] hinausragt, läßt so manches sich studieren, nicht zuletzt für den hier zentral gesetzten Problemzusammenhang von literarischer und gesellschaftlicher Struktur: denn es wird deutlich genug, daß jene sich änderte oder verändert wurde, weil oder damit diese sich ändern sollte: das Wozu und Was der Dramaturgie genießt eindeutige Priorität vor dem (aus ihm dann abgeleiteten) Wie.

„Die von Heinrich Leopold Wagner übersetzte Abhandlung ist ein Ereignis weit mehr der deutschen als der französischen Literaturgeschichte geworden. Sie ist der theoretische Hintergrund, vor dem die sozialkritische, auf die Änderung der Verhältnisse, und sei es auch nur in einzelnen Punkten [. . .] abzielende Dramatik von Lenz und Wagner gesehen werden muß."[6]

Auch die Übersetzung erschien auf dem schon bezeichneten Gipfel des Sturm und Drang: 1776, im Jahr der ‚Kindermörderin'; daß diese Zug um Zug einlöste, was jene forderte, wäre durch eine genauere Lektüre der Mercierschen Theorie zu erweisen; und von deren Sätzen wäre dann, nach vorangegangener Interpretation der Wagnerschen Praxis, ein jeder eine Erinnerung und noch einmal ein Kommentar.

(5) Hammer (Hrsg.): Dramaturgische Schriften des 18. Jahrhunderts.
(6) Szondi: Die Theorie des bürgerlichen Trauerspiels . . ., S. 185 f.; ebenso S. 169—186.

Exkurs 2: Wagners Rückzug

> Es bleibt ein Unding, das Drama unter Aus-
> schluß seiner Zuschauer zu analysieren, wo es
> doch seine Wirklichkeit erst durch die Reso-
> nanz erhält, auf die es abgestimmt ist.
>
> Herbert Heckmann[1]

Bis hierher müßte klar geworden sein, daß Wagners Drama dem zeitgenössischen Publikum den erwarteten Tribut angenehmer Unterhaltung nicht zollte,
sondern demonstrativ verweigerte, und zwar bis in nahezu alle Details; und
daß — oder weil — sich diese zum Großteil auf den naturalistischen Nenner
bringen lassen. Damit ist der Protest, von dem Wagners Wirkungsgeschichte
bis heute erbebt, nachträglich erklärt, nachdem sie, wenn auch noch ohne genaue
Angabe der nunmehr einsichtigen Gründe, bereits referiert wurde. Doch soll,
um das Maß der Empörung zu veranschaulichen, noch einmal ein Zeitgenosse
das Wort haben; im ‚Deutschen Museum‘ vom 28. 9. 1778 lieferte Johann
Georg Schlosser, dem Autor sekundierend, eine Art Publikumsbeschimpfung:
„Nun kamen aber ich weis nicht was für entnervte Kunstrichter und das
Operabuffapublikum dahinter, und schrieen [...]: o weg! weg! wer kan das
sehen! wer tragen! Uns träumt von dem Kinde; uns wird's übel vor Angst;
bei uns spukt's die ganze Nacht, wenn wir das sehen; wir bekommen Kopfweh, Herzklopfen, Wallungen — schickt uns doch nicht krank vom Theater!"[2]
So war in jenen (nach Wagners eigenem Wort) „ekeln, tugendlallenden, hyper-
empfindsamen Zeiten"[3] ein Publikum beschaffen, das „nicht bereit war, sich
beunruhigen zu lassen"[4], „das aus dem Theater nur Rührung, nicht Erschütte-
rung mit nach Hause nehmen"[5] mochte. Was (so wieder Schlosser) „die schönen
Jungfern und die seidenen Herren"[6] statt dessen goutierten, zeigt ein Blick auf
die Statistik der Mannheimer Bühne zwischen 1781 und 1808: von Iffland
wurden 37 Stücke an 476 Abenden, von Kotzebue 115 Stücke an 1728 Abenden aufgeführt, wohingegen es Schillers ‚Räuber‘ auf 15, seine ‚Kabale und
Liebe‘ nur auf 7 Vorstellungen brachten.[7] Leichte Kost war also erwünscht;
und sie darzubieten, diesem übermächtigen Bedürfnis Rechnung zu tragen war
denn auch der Endzweck von Lessings wie Wagners Entschärfung der ‚Kindermörderin‘: eine Kapitulation. „Das menschenfreundliche Publikum geht getrost
nach Haus, nimt sein Soupe ohne Sorgen über das arme Kind und die gerettete

---

(1) Heckmann: Elemente des barocken Trauerspiels, S. 153.
(2) Wagner/Fechner: Die Kindermörderin, S. 146.
(3) Wagner/Fechner: Die Kindermörderin, S. 140.
(4) Melchinger: Geschichte des politischen Theaters, S. 222.
(5) Zorn: Die Motive der Sturm- und Drang-Dramatiker, S. 97.
(6) Wagner/Fechner: Die Kindermörderin, S. 146.
(7) Bruford: Germany in the Eighteenth Century, S. 323.

Mutter, schwazt noch ein Viertelstündchen darüber, und schläft dann, ohne Herzklopfen und ohne Kopfweh, so gähnerlich ein, als es vor der Bühne wachte."[8]

Was derart scheiterte, war der modern anmutende Versuch des — von Wagner exemplarisch vertretenen — Sturm und Drang, politische Änderung zumindest indirekt, nämlich literarisch herbeizuführen: mittels einer Dramatik, die auch vor Schockeffekten ("Gruppen des Entsetzens, unter deren Anblick die zarten Spinneweben eines hysterischen Nervensystems reißen"[9]) nicht zurückschreckte; in der Skandalchronik des deutschen Theaters steht ,Die Kindermörderin' an früher und würdiger Stelle nicht von ungefähr neben den Stücken Hauptmanns und Brechts. Die Gesellschaft wandte sich ab von einem Werk, in dessen Form sogar sie sich hätte erkennen müssen. Nur als Selbstbetrug, der über solches Scheitern hinwegtäuschen und -trösten soll, ist jene merkwürdige Äußerung Wagners, drei Jahre nach 1776, zu verstehen, er habe "nicht für die Bühne, sondern fürs Kabinet, für denkende Leser"[10] geschrieben, wo ihn doch sein bis ins Letzte auf Bühnenwirkung angelegtes Drama Lügen straft; als Dramatiker, "der für ein unsichtbares Publikum arbeitet" (so andernorts scheinbar über andere und im Grunde doch über sich selbst), "ist er aber mit dem Beyfall weniger, an hundert verschiedenen Orten zerstreut lebender feinerer Seelen zufrieden, will er nur einem unsichtbaren Häuflein gefallen"[11]. Es ist dies eine nachträgliche Flucht ins Buch- und Lesedrama, welches die Möglichkeit verkörpert, "dem Kampfe auszuweichen, die heute hoffnungslos scheinende Entscheidung einer spätern, vielleicht nie eintretenden Zukunft anheimzustellen"[12]; ein Verzicht auf das "einzige öffentliche Forum"[13], "die einzige öffentliche Plattform, die dem deutschen Bürgertum des 18. Jahrhunderts zugänglich war"[14], ein weitgehender Verzicht auf die kritische Instanz öffentlicher Meinung als einer Gelegenheit zu verhandeln und zu verurteilen, zu bekämpfen und zu bestrafen. Und es liegt, betrachtet man die Anfänge, in dieser doppelten Zurücknahme der Provokation, in der Umarbeitung und der Beschränkung auf die stille Gemeinde der Leser im Lande, eine unüberhörbare Note melancholischer Resignation. "Er ist den Weg des deutschen Bürgertums gegangen: von der Revolution zur Enttäuschung, zum Pessimismus und zu einer resignierten, machtgeschützten Innerlichkeit."[15] So schrieb Thomas Mann nicht über Heinrich Leopold, sondern über dessen späten Namensvetter Richard Wagner; doch vollendete sich in diesem nur noch, was in jenem schon begann: die Misere der deutschen Sozialgeschichte.

(8) Wagner/Fechner: Die Kindermörderin, S. 146.
(9) Schiller: Über das gegenwärtige teutsche Theater, S. 812; ebenso: Diderot: Dorval und ich, S. 220; Pascal: Der Sturm und Drang, S. 190.
(10) Wagner/Fechner: Die Kindermörderin, S. 121.
(11) Zit. nach Schmidt: Heinrich Leopold Wagner, S. 53.
(12) Lukács: Zur Soziologie des modernen Dramas, S. 269.
(13) Pascal: Der Sturm und Drang, S. 2.
(14) Löwenthal: Erzählkunst und Gesellschaft, S. 55.
(15) Mann: Leiden und Größe Richard Wagners, S. 418 f.

Literaturhinweis

Wagner, Heinrich Leopold: Die Kindermörderin. Ein Trauerspiel. Im Anhang: Auszüge aus der Bearbeitung von K. G. Lessing (1777) und der Umarbeitung von H. L. Wagner (1779) sowie Dokumente zur Wirkungsgeschichte. Hrsg. von Jörg-Ulrich Fechner. Stuttgart 1969.

—: Prometheus, Deukalion und seine Recensenten. In: A. Sauer (Hrsg.): Stürmer und Dränger 2. Lenz und Wagner (= Deutsche National-Litteratur 80). Berlin und Stuttgart o. J., S. 359—380.

—: Voltaire am Abend seiner Apotheose. Aus dem Französischen. In: Heinz Nicolai (Hrsg.): Sturm und Drang. Dichtungen und theoretische Texte 2. München o. J., S. 1520—1533.

Neuer Versuch über die Schauspielkunst. Aus dem Französischen. Mit einem Anhang Aus Goethes Brieftasche. Faksimiledruck nach der Ausgabe von 1776. Mit einem Nachwort von Peter Pfaff (= Deutsche Neudrucke. Reihe Goethezeit). Heidelberg 1967.

Adorno, Theodor W.: Der Essay als Form. In: Adorno: Noten zur Literatur 1. Frankfurt a. Main 1968, S. 9—49.

—: Minima Moralia. Reflexionen aus dem beschädigten Leben. Frankfurt a. Main 1969.

—: Rede über Lyrik und Gesellschaft. In: Adorno: Noten zur Literatur 1. Frankfurt a. Main 1968, S. 73—104.

—: Satzzeichen. In: Adorno: Noten zur Literatur 1. Frankfurt a. Main 1968, S. 163—174.

—: Ästhetische Theorie (= Gesammelte Schriften 7). Frankfurt a. Main 1970.

—: Thesen zur Kunstsoziologie. In: Adorno: Ohne Leitbild. Parva Aesthetica. Frankfurt a. Main [2]1968, S. 94—103.

—: Titel. Paraphrasen zu Lessing. In: Adorno: Noten zur Literatur 3. Frankfurt a. Main 1966, S. 7—18.

Altenhein, Hans-Richard: Geld und Geldeswert im bürgerlichen Schauspiel des 18. Jahrhunderts. Diss. phil. (masch.) Köln 1952.

Auerbach, Erich: Mimesis. Dargestellte Wirklichkeit in der abendländischen Literatur. Bern und München [3]1964.

Bahr, Hermann: Sturm und Drang. In: Bahr: Glossen. Zum Wiener Theater (1903 bis 1906). Berlin 1907, S. 414—422.

Balet, Leo / E. Gerhard: Die Verbürgerlichung der deutschen Kunst, Literatur und Musik im 18. Jahrhundert. Hrsg. und eingeleitet von Gert Mattenklott. Frankfurt a. Main — Berlin — Wien 1973.

Barner, Wilfried: Barockrhetorik. Untersuchungen zu ihren geschichtlichen Grundlagen. Tübingen 1970.

Beccaria, Cesare: Über Verbrechen und Strafen. Nach der Ausgabe von 1766 übersetzt und hrsg. von Wilhelm Alff. Frankfurt a. Main 1966.

Beißner, Friedrich: Studien zur Sprache des Sturms und Drangs. Eine stilistische Untersuchung der Klingerschen Jugenddramen. In: GRM 22 (1934), S. 417—429.

Benjamin, Walter: Was die Deutschen lasen, während ihre Klassiker schrieben. In: Benjamin: Drei Hörmodelle. Frankfurt a. Main 1971, S. 7—49.

—: Einleitung zu Carl Gustav Jochmanns Rückschritten der Poesie. In: Benjamin: Angelus Novus. Ausgewählte Schriften 2. Frankfurt a. Main 1966, S. 352—365.

—: Der Erzähler. Betrachtungen zum Werk Nikolai Lesskows. In: Benjamin: Illuminationen. Ausgewählte Schriften. Hrsg. von Siegfried Unseld. Frankfurt a. Main 1961, S. 409—436.

—: Literaturgeschichte und Literaturwissenschaft. In: Benjamin: Angelus Novus. Ausgewählte Schriften 2. Frankfurt a. Main 1966, S. 450—456.

—: Deutsche Menschen. Eine Folge von Briefen. Frankfurt a. Main 1962.

—: Ursprung des deutschen Trauerspiels. Frankfurt a. Main 1969.

—: Briefe 1. Hrsg. und mit Anmerkungen versehen von Gershom Scholem und Theodor W. Adorno. Frankfurt a. Main 1966.

Biedermann, Karl: Deutschland im Achtzehnten Jahrhundert 1, 2. Leipzig 1880 und 1867—1875.

Birkner, Siegfried: Leben und Sterben der Kindsmörderin Susanna Margaretha Brandt. Nach den Prozeßakten der Kaiserlichen Freien Reichsstadt Frankfurt am Main, den sogenannten Criminalia 1771, dargestellt. Frankfurt a. Main 1973.

Bloch, Ernst: Geist der Utopie. Bearbeitete Neuauflage der zweiten Fassung von 1923 (= Gesamtausgabe 3). Frankfurt a. Main 1964.

—: Bittere Heimatkunst. Zu einer Neuausgabe von Niebergalls ‚Datterich‘. In: Bloch: Literarische Aufsätze (= Gesamtausgabe 9). Frankfurt a. Main 1965, S. 169—171.

—: Die Kunst, Schiller zu sprechen. In: Bloch: Literarische Aufsätze (= Gesamtausgabe 9). Frankfurt a. Main 1965, S. 91—96.

—: Am Straßburger Münster. In: Bloch: Literarische Aufsätze (= Gesamtausgabe 9). Frankfurt a. Main 1965, S. 481—488.

Borneman, Ernest: Sex im Volksmund. Der obszöne Wortschatz der Deutschen 1 (= Wörterbuch von A—Z). Reinbek bei Hamburg 1974.

Borries, E. von: Geschichte der Stadt Strassburg (= Städte und Burgen in Elsass-Lothringen 5). Strassburg 1905.

Bourdieu, Pierre: Zur Soziologie der symbolischen Formen. Frankfurt a. Main 1974.

Brecht, Bertolt: Arbeitsjournal 2. 1942—1955. Hrsg. von Werner Hecht. Frankfurt a. Main 1973.

—: Der gute Mensch von Sezuan. Parabelstück. In: Brecht: Gesammelte Werke 2 (= Stücke 2). Frankfurt a. Main 1967, S. 1487—1607.

—: Ist ein Stück wie ‚Herr Puntila und sein Knecht Matti‘ nach der Vertreibung der Gutsbesitzer bei uns noch aktuell? In: Brecht: Schriften zum Theater 6. 1947—1956. Redaktion Werner Hecht. Frankfurt a. Main 1964, S. 242—243.

—: Ist ‚Der Hofmeister‘ ein 'negatives Stück'? In: Brecht: Schriften zum Theater 6. 1947—1956. Redaktion Werner Hecht. Frankfurt a. Main 1964, S. 290.

—: Stückwahl (= Zu ‚Der Hofmeister‘ von J. M. R. Lenz). In: Brecht: Schriften zum Theater 6. 1947—1956. Redaktion Werner Hecht. Frankfurt a. Main 1964, S. 249.

Brentano, Clemens: Geschichte vom braven Kasperl und dem schönen Annerl. In: Brentano: Gesammelte Werke 1. Hrsg. von Heinz Amelung und Karl Viëtor. Frankfurt a. Main 1923, S. 361—404.

Brombacher, Kuno: Der deutsche Bürger im Literaturspiegel von Lessing bis Sternheim München 1920.

Brüggemann, Diethelm: Vom Herzen direkt in die Feder. Die Deutschen in ihren Briefstellern. München 1968.

Brüggemann, Fritz: Der Kampf um die bürgerliche Welt- und Lebensanschauung in der deutschen Literatur des 18. Jahrhunderts. In: DVjs 3 (1925), S. 94—127.

Bruford, W. H.: Germany in the Eighteenth Century: the Social Background of the Literary Revival. Cambridge 1965.

—: Theatre, Drama and Audience in Goethe's Germany. London 1950.

Büchner, Georg: Der Hessische Landbote. Erste Botschaft. In: Büchner: Sämtliche Werke und Briefe 2. Hrsg. von Werner G. Lehmann. Darmstadt 1971, S. 34—61.

—: Woyzeck. Kritische Lese- und Arbeitsausgabe. Hrsg. von Lothar Bornscheuer. Stuttgart 1972.

Bürger, Gottfried August: Des Pfarrers Tochter von Taubenhain. In: Bürger: Sämmtliche Werke 2. Hrsg. von Karl Reinhard. Wien 1844, S. 32—39.

—: Über Volkspoesie. Aus Daniel Wunderlich's Buch. In: Bürger: Sämmtliche Werke 4/1. Hrsg. von Karl Reinhard. Wien 1844, S. 37—54.

Burger, Heinz Otto: Die bürgerliche Sitte. Schillers ‚Kabale und Liebe'. In: Burger: 'Dasein heißt eine Rolle spielen'. Studien zur deutschen Literaturgeschichte. München 1963, S. 194—210.

Conrady, Karl Otto: Über 'Sturm und Drang'-Gedichte Goethes. Anmerkungen zu ihrem historischen Ort und zu ihrer heutigen Bedeutung. In: Conrady: Literatur und Germanistik als Herausforderung. Skizzen und Stellungnahmen. Frankfurt a. Main 1974, S. 125—153.

Daunicht, Richard: Die Entstehung des bürgerlichen Trauerspiels in Deutschland (= Quellen und Forschungen zur Sprach- und Kulturgeschichte der germanischen Völker NF 8/132). Berlin 1963.

Diderot, Denis: Von der dramatischen Dichtkunst. In: Diderot: Ästhetische Schriften 1. Hrsg. von Friedrich Bassenge. Frankfurt a. Main 1968, S 239—347.

—: Dorval und ich. In: Diderot: Ästhetische Schriften 1. Hrsg. von Friedrich Bassenge. Frankfurt a. Main 1968, S. 159—238.

Dosenheimer, Elise: Das deutsche soziale Drama von Lessing bis Sternheim. Konstanz 1949.

Dürrenmatt, Friedrich: Standortbestimmung zu ‚Frank V.'. In: Dürrenmatt: Theater-Schriften und Reden. Hrsg. von Elisabeth Brock-Sulzer. Zürich 1966, S. 184—189.

—: Theaterprobleme. In: Dürrenmatt: Theater-Schriften und Reden. Hrsg. von Elisabeth Brock-Sulzer. Zürich 1966, S. 92—131.

Eichendorff, Joseph von: Der Adel und die Revolution. In: Eichendorff: Historische, politische und biographische Schriften (= Sämtliche Werke 10). Hrsg. von Wilhelm Kosch. Regensburg o. J., S. 383—406.

Engels, Friedrich: Die wahren Sozialisten. In: MEW 4. Berlin 1969, S. 248—290.

—: Deutsche Zustände. In: MEW 2. Berlin 1970, S. 564—584.

—: Brief an Minna Kautsky in Wien (26. 11. 1885). In: MEW 36. Berlin 1967, S. 392 bis 394.

Engert, Fritz: Das stumme Spiel im deutschen Drama von Lessing bis Kleist. Diss. phil. Leipzig 1934.

Enzensberger, Hans Magnus: Brentanos Poetik. München 1973.

Freud, Sigmund: Die Traumdeutung. In: Freud: Die Traumdeutung. Über den Traum (= Gesammelte Werke 2, 3). Frankfurt a. Main ⁴1968, S. V—642.

—: Vorlesungen zur Einführung in die Psychoanalyse (= Gesammelte Werke 11). Frankfurt a. Main ⁵1969.

Friedell, Egon: Das Ende der Tragödie. In: Friedell: Wozu das Theater? Essays, Satiren, Humoresken. Hrsg. von Peter Haage. München 1966, S. 83—89.

—: Kulturgeschichte der Neuzeit. Die Krisis der europäischen Seele von der Schwarzen Pest bis zum Ersten Weltkrieg. München 1966.

—: Die steckengebliebene Poesie. In: Friedell: Wozu das Theater? Essays, Satiren, Humoresken. Hrsg. von Peter Haage. München 1966, S. 90—93.

Friedenthal, Richard: Goethe — sein Leben und seine Zeit. München 1964.

Froitzheim, Johannes: Goethe und Heinrich Leopold Wagner. Ein Wort der Kritik an unsere Goethe-Forscher (= Beiträge zur Landes- und Volkeskunde von Elsass-Lothringen II/10). Strassburg 1889.

—: Lenz und Goethe. Mit ungedruckten Briefen von Lenz, Herder, Lavater, Röderer, Luise König. Stuttgart — Leipzig — Berlin — Wien 1891.

—: Lenz, Goethe und Cleophe Fibich von Strassburg. Ein urkundlicher Kommentar zu Goethes Dichtung und Wahrheit (= Beiträge zur Landes- und Volkeskunde von Elsass-Lothringen I/4). Strassburg 1888.

—: Zu Strassburgs Sturm- und Drangperiode 1770—1776. Urkundliche Forschungen nebst einem ungedruckten Briefwechsel der Strassburgerin Luise König mit Karoline Herder aus dem Herder- und Röderer-Nachlass (= Beiträge zur Landes- und Volkeskunde von Elsass-Lothringen II/7). Strassburg 1888.

Gansberg, Marie Luise: Zu einigen populären Vorurteilen gegen materialistische Literaturwissenschaft. In: Gansberg/Völker, Paul Gerhard: Methodenkritik der Germanistik. Materialistische Literaturtheorie und bürgerliche Praxis. Stuttgart ²1971, S. 7—39.

Genton, Elisabeth: Lenz — Klinger — Wagner. Studien über die rationalistischen Elemente im Denken und Dichten des Sturmes und Dranges. Diss. phil. (masch.) Berlin 1954.

Gerth, Hans: Die sozialgeschichtliche Lage der bürgerlichen Intelligenz um die Wende des 18. Jahrhunderts. Ein Beitrag zur Soziologie des deutschen Frühliberalismus. Diss. phil. Frankfurt a. Main 1935.

Girnus, Wilhelm: Goethe, der größte Realist deutscher Sprache. Versuch einer kritischen Darstellung seiner ästhetischen Auffassungen (= Einleitung zu: Johann Wolfgang Goethe, Über Kunst und Literatur. Hrsg. und eingeleitet von W. Girnus). Berlin 1953, S. 7—197.

Glaser, Hermann: Friedrich Hebbel: Agnes Bernauer (= Dichtung und Wirklichkeit 20). Frankfurt a. Main und Berlin 1964.

Goedecke, Karl: Grundriß zur Geschichte der deutschen Dichtung. Aus den Quellen. Fortgeführt von Edmund Goetze. IV/1. Leipzig 1891.

Goethe, Johann Wolfgang: Faust in ursprünglicher Gestalt (Urfaust). In: Goethe: Werke 3. Hamburg ⁸1967, S. 365—420.

—: Aus meinem Leben. Dichtung und Wahrheit. In: Goethe: Werke 9 (= Autobiographische Schriften 1). Werke 10 (= Autobiographische Schriften 2), S. 7—187. Hamburg ⁴1966.

—: Maximen und Reflexionen. In: Goethe: Werke 12 (= Schriften zur Kunst. Schriften zur Literatur. Maximen und Reflexionen). Hamburg ³1958, S. 365—547.

—: Deutsches Theater. In: Goethe: Schriften zu Literatur und Theater (= Gesamtausgabe der Werke und Schriften 15). Hrsg. von Walter Rehm. Stuttgart o. J., S. 591—593.

—: Briefe 2. Hamburg 1964.

Goldmann, Lucien: Soziologie des modernen Romans (= Soziologische Texte 61). Neuwied und Berlin 1970.

Greiner, Martin: Die Entstehung der modernen Unterhaltungsliteratur. Studien zum Trivialroman des 18. Jahrhunderts. Hrsg. und bearbeitet von Therese Poser. Reinbek bei Hamburg 1964.

Grimm, Jacob und Wilhelm: Deutsches Wörterbuch 13. Leipzig 1922.

—: Von dem Machandelbom. In: Grimm: Kinder- und Hausmärchen. Darmstadt 1968, S. 260—273.

Gundolf, Friedrich: Shakespeare und der deutsche Geist. Bad Godesberg 1947.

Guthke, Karl S.: Geschichte und Poetik der deutschen Tragikomödie. Göttingen 1961.

Habermas, Jürgen: Strukturwandel der Öffentlichkeit. Untersuchungen zu einer Kategorie der bürgerlichen Gesellschaft. Neuwied und Berlin ⁵1971.

Hacks, Peter: Brief an einen Dramaturgen. In: Hacks: Zwei Bearbeitungen. ‚Der Frieden' nach Aristophanes. ‚Die Kindermörderin', ein Lust- und Trauerspiel nach Heinrich Leopold Wagner. Frankfurt a. Main 1963, S. 145—147.

Hammer, Klaus (Hrsg.): Dramaturgische Schriften des 18. Jahrhunderts (= Geschichte des deutschen Theaters B/1). Berlin 1968.

Hansjakob, Heinrich: Der Wälderbub. Erinnerungen. Stuttgart 1943.

Harich, Wolfgang: Jean Pauls Kritik des philosophischen Egoismus. Belegt durch Texte und Briefstellen Jean Pauls im Anhang. Frankfurt a. Main o. J.

Hauptmann, Gerhart: Rose Bernd, Schauspiel. In: Hauptmann: Sämtliche Werke 2 (= Dramen). Hrsg. von Hans-Egon Hass. Darmstadt 1965, S. 183—259.

Hausenstein, Wilhelm: Gedanken zu einer 'Soziologie des Stils'. In: Hausenstein: Die Kunst in diesem Augenblick. Aufsätze und Tagebuchblätter aus 50 Jahren. Hrsg. von Hans Melchers. München 1960, S. 246—256.

Hauser, Arnold: Sozialgeschichte der Kunst und Literatur. München 1972.

Hebbel, Friedrich: An Heinrich Theodor Rötscher (= Sendschreiben als Vorwort zu: ‚Ein Trauerspiel in Sizilien. Tragikomödie in einem Akt'). In: Hebbel: Werke 1. Hrsg. von Gerhard Fricke, Werner Keller und Karl Pörnbacher. München 1963, S. 385—389.

—: Maria Magdalene. Ein bürgerliches Trauerspiel in drei Akten. In: Hebbel: Werke 1. Hrsg. von Gerhard Fricke, Werner Keller und Karl Pörnbacher. München 1963, S. 301—382.

—: Vorwort zur ‚Maria Magdalene', betreffend das Verhältnis der dramatischen Kunst zur Zeit und verwandte Punkte. In: Hebbel: Werke 1. Hrsg. von Gerhard Fricke, Werner Keller und Karl Pörnbacher. München 1963, S. 307—328.

Heckmann, Herbert: Elemente des barocken Trauerspiels. Am Beispiel des ‚Papinian' von Andreas Gryphius. Darmstadt 1959.

Hegel, Georg Wilhelm Friedrich: Ästhetik. Hrsg. von Friedrich Bassenge. Mit einer Einführung von Georg Lukács. 1, 2. Berlin und Weimar ²o. J.

Herder, Johann Gottfried: Briefe zur Beförderung der Humanität. In: Herder: Sämmtliche Werke 17, 18. Hrsg. von Bernhard Suphan. Berlin 1881 und 1883.

Hermand, Jost (Hrsg.): Von deutscher Republik. 1775—1795. 1 (= Aktuelle Provokationen), 2 (= Theoretische Grundlagen). Frankfurt a. Main 1968.

Hettner, Hermann: Das moderne Drama. Ästhetische Untersuchungen. In: Hettner: Schriften zur Literatur. Hrsg. von Jürgen Jahn. Berlin 1959, S. 167—265.

Hinck, Walter: Metamorphosen eines Wiegenliedes: H. L. Wagner, Heine, G. Hauptmann, Toller, Brecht. In: Karl-Heinz Schirmer / Bernhard Sowinski (Hrsg.): Zeiten und Formen in Sprache und Dichtung. Festschrift für Fritz Tschirch zum 70. Geburtstag. Köln und Wien 1972, S. 290—306.

Hirsch, Arnold: ‚Die Leiden des jungen Werthers'. Ein bürgerliches Schicksal im absolutistischen Staat. In: Etudes Germaniques 13 (1958), S. 229—250.

Höllerer, Walter: Lenz: ‚Die Soldaten'. In: Benno von Wiese (Hrsg.): Das deutsche Drama. Vom Barock bis zur Gegenwart. Interpretationen 1. Düsseldorf 1964, S. 128—147.

Holz, Hans Heinz: Macht und Ohnmacht der Sprache. Untersuchungen zum Sprachverständnis und Stil Heinrich von Kleists. Frankfurt a. Main und Bonn 1962.

Jauß, Hans Robert: Literaturgeschichte als Provokation der Literaturwissenschaft. In: Jauß: Literaturgeschichte als Provokation. Frankfurt a. Main 1970, S. 144—207.

Kaiser, Gerhard: Zum Syndrom modischer Germanistik. Bemerkungen über: Klaus Scherpe, Werther und Wertherwirkung. In: Kaiser: Antithesen. Zwischenbilanz eines

Germanisten 1970—1972 (= Gegenwart der Dichtung 10). Frankfurt a. Main 1973, S. 185—196.

Kästner, Erhart: Wahn und Wirklichkeit im Drama der Goethezeit. Eine dichtungsgeschichtliche Studie über die Formen der Wirklichkeitserfassung (= Von deutscher Poeterey 4). Diss. phil. Leipzig 1929.

Keckeis, Gustav: Dramaturgische Probleme im Sturm und Drang (= Untersuchungen zur neueren Sprach- und Literaturgeschichte 11). Bern 1907.

Kindermann, Heinz: Theatergeschichte Europas 4 (= Von der Aufklärung zur Romantik 1). Salzburg 1961.

Kließ, Werner: Sturm und Drang. Gerstenberg, Lenz, Klinger, Leisewitz, Wagner, Maler Müller (= Dramatiker des Welttheaters 25). Velber bei Hannover [2]1970.

Klinger, Friedrich Maximilian: Betrachtungen und Gedanken über verschiedene Gegenstände der Welt und der Literatur. In: Klinger: Sämmtliche Werke 11, 12. Stuttgart 1842.

—: Sturm und Drang. Ein Schauspiel. Mit einem Anhang zur Entstehungs- und Wirkungsgeschichte. Hrsg. von Jörg-Ulrich Fechner. Stuttgart 1970.

Klotz, Volker: Geschlossene und offene Form im Drama. München [4]1969.

Knigge, Adolph Freiherr von: Über den Umgang mit Menschen. Hrsg. von Alexander von Gleichen-Rußwurm. Berlin o. J.

Köhler, Erich: Esprit und arkadische Freiheit. Aufsätze aus der Welt der Romania. Frankfurt a. Main [2]1972.

—: Über die Möglichkeiten historisch-soziologischer Interpretation (aufgezeigt an französischen Werken verschiedener Epochen). In: Viktor Žmegač (Hrsg.): Methoden der deutschen Literaturwissenschaft. Eine Dokumentation. Frankfurt a. Main 1972, S. 227—248.

—: Einige Thesen zur Literatursoziologie. In: GRM NF 24 (1974), S. 257—264.

Kollektiv für Literaturgeschichte (Hrsg.): Erläuterungen zur deutschen Literatur. Klassik Berlin [6]1971.

Korff, Hermann August: Geist der Goethezeit. Versuch einer ideellen Entwicklung der klassisch-romantischen Literaturgeschichte 1 (= Sturm und Drang). Leipzig [8]1966.

Kosellek, Reinhart: Kritik und Krise. Ein Beitrag zur Pathogenese der bürgerlichen Welt. Freiburg und München 1959.

Kracauer, Siegfried: Der Detektiv-Roman. Ein philosophischer Traktat. In: Kracauer: Schriften 1. Frankfurt a. Main 1971, S. 103—204.

—: Die kleinen Ladenmädchen gehen ins Kino. In: Kracauer: Das Ornament der Masse. Essays. Frankfurt a. Main 1963, S. 279—294.

—: Jacques Offenbach und das Paris seiner Zeit. Zürich o. J.

—: Zu den Schriften Walter Benjamins. In: Kracauer: Das Ornament der Masse. Essays. Frankfurt a. M. 1963, S. 249—255.

—: Georg Simmel. In: Kracauer: Das Ornament der Masse. Essays. Frankfurt a. Main 1963, S. 209—248.

Krauss, Werner: Über die Konstellation der deutschen Aufklärung. In: Krauss: Studien zur deutschen und französischen Aufklärung (= Neue Beiträge zur Literaturwissenschaft 16). Berlin 1963, S. 309—399.

Landolt, J. H.: Reiseerinnerungen eines Zürichers. Mitgetheilt von Ernst Dümmler. In: Goethe-Jahrbuch 13 (1892), S. 122—131.

Lange, Hartmut: Die Gräfin von Rathenow. Frankfurt a. Main 1969.

Lenz, Jakob Michael Reinhold: Anmerkungen übers Theater. In: Lenz: Werke und Schriften 1. Hrsg. von Britta Titel und Hellmut Haug. Darmstadt 1966, S. 329—362.

126

—: Über die Bearbeitung der deutschen Sprache im Elsaß, Breisgau und den benachbarten Gegenden. In einer Gesellschaft gelehrter Freunde vorgelesen. In: Lenz: Werke und Schriften 1. Hrsg. von Britta Titel und Hellmut Haug. Darmstadt 1966, S. 449 bis 457.

—: Briefe eines jungen L- von Adel an seine Mutter in L- aus + + in ++. In: Lenz: Werke und Schriften 1. Hrsg. von Britta Titel und Hellmut Haug. Darmstadt 1966, S. 323—326.

—: Über Götz von Berlichingen. In: Lenz: Werke und Schriften 1. Hrsg. von Britta Titel und Hellmut Haug. Darmstadt 1966, S. 378—382.

—: Der Hofmeister oder Vorteile der Privaterziehung. Eine Komödie. In: Lenz: Werke und Schriften 2. Hrsg. von Britta Titel und Hellmut Haug. Darmstadt 1967, S. 9—104.

—: Der neue Menoza oder Geschichte des cumbanischen Prinzen Tandi. Eine Komödie. In: Lenz: Werke und Schriften 2. Hrsg. von Britta Titel und Hellmut Haug. Darmstadt 1967, S. 105—179.

—: Pandämonium Germanicum. Eine Skizze. In: Lenz: Werke und Schriften 2. Hrsg. von Britta Titel und Hellmut Haug. Darmstadt 1967, S. 249—277.

—: Rezension des Neuen Menoza, von dem Verfasser selbst aufgesetzt. In: Lenz: Werke und Schriften 1. Hrsg. von Britta Titel und Hellmut Haug. Darmstadt 1966, S. 414 bis 420.

—: Die Soldaten. Ein Schauspiel. In: Lenz: Werke und Schriften 2. Hrsg. von Britta Titel und Hellmut Haug. Darmstadt 1967, S. 181—247.

—: Verteidigung der Verteidigung des Übersetzers der Lustspiele. In: Lenz: Werke und Schriften 1. Hrsg. von Britta Titel und Hellmut Haug. Darmstadt 1966, S. 405—413.

—: Zerbin oder die neuere Philosophie, eine Erzählung. In: Lenz: Werke und Schriften. Hrsg. von Richard Daunicht. Reinbek bei Hamburg 1970, S. 147—166.

—: Briefe von und an J. M. R. Lenz 1. Gesammelt und hrsg. von Karl Freye und Wolfgang Stammler. Leipzig 1918.

Lepenies, Wolf: Melancholie und Gesellschaft. Frankfurt a. Main 1972.

Lichtenberg, Georg Christoph: Vermächtnisse. Hrsg. von Wolfgang Promies. Reinbek bei Hamburg 1972.

Löwenthal, Leo: Das Bild des Menschen in der Literatur (= Soziologische Texte 37). Neuwied und Berlin 1966.

—: Erzählkunst und Gesellschaft. Die Gesellschaftsproblematik in der deutschen Literatur des 19. Jahrhunderts. Mit einer Einleitung von Frederic C. Tubach. Neuwied und Berlin 1971.

—: Literatur und Gesellschaft. Das Buch in der Massenkultur (= Soziologische Texte 27). Neuwied und Berlin 1964.

Lukács, Georg: Zur Soziologie des modernen Dramas. In: Lukács: Schriften zur Literatursoziologie (= Werkauswahl 1). Ausgewählt und eingeleitet von Peter Ludz (= Soziologische Texte 9). Neuwied und Berlin ⁴1970.

—: Faust-Studien. In: Lukács: Faust und Faustus. Vom Drama der Menschengattung zur Tragödie der modernen Kunst (= Ausgewählte Schriften 2). Reinbek bei Hamburg 1967, S. 128—210.

—: Die Theorie des Romans. Ein geschichtsphilosophischer Versuch über die Formen der großen Epik. Neuwied und Berlin ³1963.

—: Vorwort zur ‚Entwicklungsgeschichte des modernen Dramas'. In: Lukács: Schriften zur Literatursoziologie (= Werkauswahl 1). Ausgewählt und eingeleitet von Peter Ludz (= Soziologische Texte 9). Neuwied und Berlin ⁴1970.

Luther, Martin: Sendbrief vom Dolmetschen. In: Luther: Die gantze Heilige Schrifft Deudsch. Anhang. München 1972, S. 242—249.

Mann, Thomas: Leiden und Größe Richard Wagners. In: Mann: Reden und Aufsätze 1 (= Gesammelte Werke 9). o. O. 1960, S. 363—426.

—: Goethe's ‚Werther'. In: Mann: Reden und Aufsätze 1 (= Gesammelte Werke 9). o. O. 1960, S. 640—655.

Marcuse, Herbert: Bemerkungen zum Thema Kunst und Revolution. Zit. nach: Die Zeit 20/1974, S. 18.

Marx, Karl: Zur Kritik der Hegelschen Rechtsphilosophie. Einleitung. In: MEW 1. Berlin 1970, S. 378—391.

Mattenklott, Gert: Melancholie in der Dramatik des Sturm und Drang (= Studien zur Allgemeinen und Vergleichenden Literaturwissenschaft 1). Stuttgart 1968.

May, Kurt: Beitrag zur Phänomenologie des Dramas im Sturm und Drang. In: GRM 18 (1930), S. 260—268.

Mayer, Hans: Goethe vor uns, wir vor Goethe. Wozu Literatur in der Schule? In: Die Zeit 13/1974, S. 17—18.

—: Goethe. Ein Versuch über den Erfolg. Frankfurt a. Main 1973.

—: Lenz oder die Alternative. Nachwort zu: Jakob Michael Reinhold Lenz, Werke und Schriften 2. Hrsg. von Britta Titel und Hellmut Haug. Darmstadt 1967, S. 795—827.

Mehring, Franz: Die Lessing-Legende (= Gesammelte Schriften 9). Berlin 1963.

Melchinger, Siegfried: Dramaturgie des Sturms und Drangs. Gotha 1929.

—: Geschichte des politischen Theaters. Velber 1971.

Minder, Robert: Dichter in der Gesellschaft. Erfahrungen mit deutscher und französischer Literatur. Frankfurt a. Main 1966.

Möller, Helmut: Die kleinbürgerliche Familie im 18. Jahrhundert. Verhalten und Gruppenkultur (= Schriften zur Volksforschung 3). Berlin 1969.

Moritz, Karl Philipp: Anton Reiser. Ein psychologischer Roman. Hrsg. von Wolfgang Martens. Stuttgart 1972.

Mortier, Roland: Diderot in Deutschland 1750—1850. Stuttgart 1967.

Müller (Mahler): Das Nuß-Kernen, eine pfälzische Idylle. In: Müller: Idyllen 3. Hrsg. von O. Heuer. Leipzig 1914, S. 57—149.

Pascal, Roy: Der Sturm und Drang. Stuttgart 1963.

Paul, Jean: Mein Aufenthalt in der Nepomuks-Kirche während der Belagerung der Reichsfestung Ziebingen. In: Paul: Sämtliche Werke 1/14 (= Politische Schriften). Weimar 1939, S. 224—251.

—: Vorschule der Ästhetik (= Sämtliche Werke 1/11). Weimar 1935.

Pellegrini, Alessandro: 'Sturm und Drang' und politische Revolution. In: German Life and Letters 18 (1964/65), S. 121—129.

Petriconi, Hellmuth: Die verführte Unschuld. Bemerkungen über ein literarisches Thema (= Hamburger Romanistische Studien A. Allgemeine Romanistische Reihe 38). Hamburg 1953.

Plessner, Helmuth: Die verspätete Nation. Über die politische Verführbarkeit bürgerlichen Geistes. Stuttgart 1959.

Price, Lawrence Marsden: Die Aufnahme englischer Literatur in Deutschland 1500—1960. Bern und München 1961.

Puschkin, Alexander S.: Der Postaufseher. In: Puschkin: Sämtliche Erzählungen. Hrsg. und eingeleitet von Arthur Luther. Düsseldorf 1957, S. 103—117.

Rameckers, Jan Matthias: Der Kindesmord in der Literatur der Sturm-und-Drang-Periode. Ein Beitrag zur Kultur- und Literatur-Geschichte des 18. Jahrhunderts. Diss. phil. Rotterdam 1927.

Reinhardt (Prediger): Heilung eines Melancholischen. In: Psychologie heute, Juni 1974, S. 78—79 (Nachdr.).

Rousseau, Jean-Jacques: Emil oder über die Erziehung. In neuer deutscher Fassung besorgt von Josef Esterhues. Paderborn ²1962.

Rühmann, Heinrich: ‚Die Soldaten' von Lenz. Versuch einer soziologischen Betrachtung. In: Diskussion Deutsch 4/1971, S. 131—143.

Schaer, Wolfgang: Die Gesellschaft im deutschen bürgerlichen Drama des 18. Jahrhunderts. Grundlagen und Bedrohung im Spiegel der dramatischen Literatur (= Bonner Arbeiten zur deutschen Literatur 7). Bonn 1963.

Scherpe, Klaus R.: Werther und Wertherwirkung. Zum Syndrom bürgerlicher Gesellschaftsordnung im 18. Jahrhundert. Bad Homburg v.d.H. — Berlin — Zürich 1970.

Schiller, Friedrich: Kabale und Liebe. Ein bürgerliches Trauerspiel in fünf Aufzügen. In: Schiller: Sämtliche Werke 1. Hrsg. von Gerhard Fricke und Herbert G. Göpfert in Verbindung mit Herbert Stubenrauch. München ⁴1965, S. 755—858.

—: Die Kindsmörderin. In: Schiller: Sämtliche Werke 1. Hrsg. von Gerhard Fricke und Herbert G. Göpfert in Verbindung mit Herbert Stubenrauch. München ⁴1965, S. 52 bis 56.

—: Über die tragische Kunst. In: Schiller: Sämtliche Werke 5. Hrsg. von Gerhard Fricke und Herbert G. Göpfert. München ⁴1967, S. 372—393.

—: Die Räuber. Ein Schauspiel. In: Schiller: Sämtliche Werke 1. Hrsg. von Gerhard Fricke und Herbert G. Göpfert in Verbindung mit Herbert Stubenrauch. München ⁴1965, S. 491—618.

—: Was kann eine gute stehende Schaubühne eigentlich wirken? In: Schiller: Sämtliche Werke 5. Hrsg. von Gerhard Fricke und Herbert G. Göpfert. München ⁴1967, S. 818 bis 831.

—: Über das gegenwärtige teutsche Theater. In: Schiller: Sämtliche Werke 5. Hrsg. von Gerhard Fricke und Herbert G. Göpfert. München ⁴1967, S. 811—818.

—: Der Verbrecher aus verlorener Ehre. Eine wahre Geschichte. In: Schiller: Sämtliche Werke 5. Hrsg. von Gerhard Fricke und Herbert G. Göpfert. München ⁴1967, S. 13 bis 35.

—: Die Verschwörung des Fiesco zu Genua. Ein republikanisches Trauerspiel. In: Schiller: Sämtliche Werke 1. Hrsg. von Gerhard Fricke und Herbert G. Göpfert in Verbindung mit Herbert Stubenrauch. München ⁴1965, S. 639—754.

—: Briefe 1. Hrsg. von Fritz Jonas. Stuttgart — Leipzig — Wien o. J.

Schirokauer, Arno: Bedeutungswandel des Romans. In: Volker Klotz (Hrsg.): Zur Poetik des Romans (= Wege der Forschung 35). Darmstadt 1969, S. 15—31.

Schlaffer, Heinz: Der Bürger als Held. Sozialgeschichtliche Auflösungen literarischer Widersprüche. Frankfurt a. Main 1973.

Schlegel, Friedrich: Athenäums-Fragmente. In: Schlegel: Werke 2/1 (= Charakteristiken und Kritiken 1. 1796—1801). Hrsg. und eingeleitet von Hans Eichner. München — Paderborn — Wien — Zürich 1967, S. 165—255.

Schmidt, Arno: Herder, oder Vom Primzahlmenschen. In: Schmidt: Nachrichten von Büchern und Menschen 1. Zur Literatur des 18. Jahrhunderts. Frankfurt a. Main und Hamburg 1971, S. 168—202.

Schmidt, Erich: Lenz und Klinger. Zwei Dichter der Geniezeit. Berlin 1878.

—: Heinrich Leopold Wagner, Goethes Jugendgenosse. 2. völlig umgearbeitete Aufl. Leipzig 1879.

Schröder, Jürgen: Gotthold Ephraim Lessing. Sprache und Drama. München 1972.

Schubart, Christian Friedrich Daniel: Gedichte. Hrsg. von Gustav Hauff. Leipzig o. J.

—: Werke. Ausgewählt und eingeleitet von Ursula Wertheim und Hans Böhm. Weimar 1959.

Schücking, Levin, L.: Soziologie der literarischen Geschmacksbildung. Bern und München ³1961.

Schweppenhäuser, Hermann: Verbotene Frucht. Aphorismen und Fragmente. Frankfurt a. Main 1966.

Selver, Henrik: Die Auffassung des Bürgers im deutschen bürgerlichen Drama des 18. Jahrhunderts. Diss. phil. Leipzig 1931.

Seraphim, Peter-Heinz: Deutsche Wirtschafts- und Sozialgeschichte. Von der Frühzeit bis zum Ausbruch des zweiten Weltkrieges. Wiesbaden 1962.

Simmel, Georg: Soziologische Ästhetik. In: Simmel: Brücke und Tür. Essays des Philosophen zur Geschichte, Religion, Kunst und Gesellschaft. Im Verein mit Margarete Susman hrsg. von Michael Landmann. Stuttgart 1957, S. 200—207.

Stadelmann, Rudolf / Wolfram Fischer: Die Bildungswelt des deutschen Handwerkers um 1800. Studien zur Soziologie des Kleinbürgers im Zeitalter Goethes. Berlin 1955.

Steiger, Emil: Mundart und Schriftsprache in der 2. Hälfte des 18. Jahrhunderts nach gleichzeitigen Zeitschriften. Diss. phil. Freiburg/Brsg. 1919.

Sternberger, Dolf: Panorama oder Ansichten vom 19. Jahrhundert. Frankfurt a. Main 1974.

Stockmeyer, Clara: Soziale Probleme im Drama des Sturmes und Dranges. Eine literarhistorische Studie (= Deutsche Forschungen 5). Frankfurt a. Main 1922.

Szondi, Peter: Über philologische Erkenntnis. In: Szondi: Hölderlin-Studien. Mit einem Traktat über philologische Erkenntnis. Frankfurt a. Main 1970, S. 9—34.

—: Tableau und coup de théâtre. Zur Sozialpsychologie des bürgerlichen Trauerspiels bei Diderot. Mit einem Exkurs über Lessing. In: Szondi: Lektüren und Lektionen. Versuche über Literatur, Literaturtheorie und Literatursoziologie. Hrsg. von Jean Bollack u. a. Frankfurt a. Main 1973, S. 13—43.

—: Theorie des modernen Dramas. Frankfurt a. Main ⁵1968.

—: Die Theorie des bürgerlichen Trauerspiels im 18. Jahrhundert. Der Kaufmann, der Hausvater und der Hofmeister (= Studienausgabe der Vorlesungen 1). Hrsg. von Gert Mattenklott. Mit einem Anhang über Molière von Wolfgang Fietkau. Frankfurt a. Main 1973.

Völker, Paul Gerhard: Die inhumane Praxis einer bürgerlichen Wissenschaft. Zur Methodengeschichte der Germanistik. In: Gansberg, Marie Luise / Völker: Methodenkritik der Germanistik. Materialistische Literaturtheorie und bürgerliche Praxis. Stuttgart ²1971, S. 40—73.

Weber, Heinz-Dieter: Kindesmord als tragische Handlung. In: Der Deutschunterricht 28 (1976), Heft 2, S. 75—97 (erst nach Abschluß der vorliegenden Arbeit erschienen).

Weißenfels, Richard: Goethe im Sturm und Drang 1. Halle 1894.

Windfuhr, Manfred: Nachwort zu: Jakob Michael Reinhold Lenz, ‚Die Soldaten'. Eine Komödie. Stuttgart 1970, S. 60—64.

Wolf, Karl: Heinrich Leopold Wagners Verteidigung vor der Frankfurter Zensurbehörde. In: Euphorion 30 (1929), S. 281—289.

Yourcenar, Marguerite: Die schwarze Flamme. Roman. München 1973.

Zorn, Joseph: Die Motive der Sturm- und Drang-Dramatiker, eine Untersuchung ihrer Herkunft und Entwicklung. Diss. phil. Bonn 1909.

Literaturwissenschaft — Gesellschaftswissenschaft

Materialien und Untersuchungen zur Literatursoziologie
herausgegeben von Theo Buck und Dietrich Steinbach

Franz Mehring: Anfänge der
materialistischen Literaturbetrachtung
in Deutschland
Hrsg.: Theo Buck
LGW 1, Klettbuch 3911, 115 Seiten

Von der Literaturkritik zur
Gesellschaftskritik: Ludwig Börne
Hrsg.: Serge Schlaifer
LGW 2, Klettbuch 3912, 130 Seiten

Abriß einer Geschichte der deutschen
Arbeiterliteratur
Von Gerald Stieg und Bernd Witte
LGW 3, Klettbuch 3913, 200 Seiten

Die historisch-kritische Sozialtheorie
der Literatur
Von Dietrich Steinbach
LGW 4, Klettbuch 3914, 96 Seiten

Der exotische Roman. Bürgerliche
Gesellschaftsflucht und Gesellschafts-
kritik zwischen Romantik und Realismus
Hrsg.: Anselm Maler
LGW 5, Klettbuch 3915, 112 Seiten

Goethes ‚Werther‘ als Modell
für kritisches Lesen
Materialien zur Rezeptionsgeschichte
Hrsg.: Karl Hotz
LGW 6, Klettbuch 3916, 208 Seiten

Der Schelm als Widerspruch und
Selbstkritik des Bürgertums
Vorarbeiten zu einer literatursozio-
logischen Analyse der Schelmenliteratur
Von Dieter Arendt
LGW 7, Klettbuch 3917, 123 Seiten

Heinrich Heine: Wirkungsgeschichte
als Wirkungskritik
Materialien zur Rezeptions- und
Wirkungsgeschichte Heines
Hrsg.: Karl Hotz
LGW 8, Klettbuch 3918, 176 Seiten

Methoden- und Rezeptionswandel
in der Literaturwissenschaft
am Beispiel der
Sesenheimer Lyrik Goethes
Hrsg.: Ekkehart Mittelberg
LGW 9, Klettbuch 3919, 127 Seiten

Der aufgelöste Widerspruch
‚Engagement‘ und ‚Dunkelheit‘ in der
Lyrik Johannes Bobrowskis
Von Dagmar Deskau
LGW 10, Klettbuch 3921, 105 Seiten

Viermal Wedekind
Methoden der Literaturanalyse am
Beispiel von Frank Wedekinds Schauspiel
‚Hidalla‘
Vier Vorträge von Helmut Arntzen,
Ernst Nef, Volker Klotz und
Wolfdietrich Rasch
Hrsg.: Karl Pestalozzi und Martin Stern
LGW 11, Klettbuch 3922, 73 Seiten

Ernst Klett Verlag Stuttgart